JN026545

ファミリー日誌

2021

目　次

※祝日法などの改正により祝日や休日が一部変更になる場合があります。

「日誌のしおり」部門別表題

今も心に残る連続テレビ小説ランキング

コラム

野菜づくり・漢方の知恵

年齢早見表

生年	年齢	西暦	干支	生年	年齢	西暦	干支	生年	年齢	西暦	干支
明35	119	1902	壬寅	昭17	79	1942	壬午	昭57	39	1982	壬戌
36	118	1903	癸卯	18	78	1943	癸未	58	38	1983	癸亥
37	117	1904	甲辰	19	77	1944	甲申	59	37	1984	甲子
38	116	1905	乙巳	20	76	1945	乙酉	60	36	1985	乙丑
39	115	1906	丙午	21	75	1946	丙戌	61	35	1986	丙寅
40	114	1907	丁未	22	74	1947	丁亥	62	34	1987	丁卯
41	113	1908	戊申	23	73	1948	戊子	63	33	1988	戊辰
42	112	1909	己酉	24	72	1949	己丑	平1	32	1989	己巳
43	111	1910	庚戌	25	71	1950	庚寅	2	31	1990	庚午
44	110	1911	辛亥	26	70	1951	辛卯	3	30	1991	辛未
大1	109	1912	壬子	27	69	1952	壬辰	4	29	1992	壬申
2	108	1913	癸丑	28	68	1953	癸巳	5	28	1993	癸酉
3	107	1914	甲寅	29	67	1954	甲午	6	27	1994	甲戌
4	106	1915	乙卯	30	66	1955	乙未	7	26	1995	乙亥
5	105	1916	丙辰	31	65	1956	丙申	8	25	1996	丙子
6	104	1917	丁巳	32	64	1957	丁酉	9	24	1997	丁丑
7	103	1918	戊午	33	63	1958	戊戌	10	23	1998	戊寅
8	102	1919	己未	34	62	1959	己亥	11	22	1999	己卯
9	101	1920	庚申	35	61	1960	庚子	12	21	2000	庚辰
10	100	1921	辛酉	36	60	1961	辛丑	13	20	2001	辛巳
11	99	1922	壬戌	37	59	1962	壬寅	14	19	2002	壬午
12	98	1923	癸亥	38	58	1963	癸卯	15	18	2003	癸未
13	97	1924	甲子	39	57	1964	甲辰	16	17	2004	甲申
14	96	1925	乙丑	40	56	1965	乙巳	17	16	2005	乙酉
昭1	95	1926	丙寅	41	55	1966	丙午	18	15	2006	丙戌
2	94	1927	丁卯	42	54	1967	丁未	19	14	2007	丁亥
3	93	1928	戊辰	43	53	1968	戊申	20	13	2008	戊子
4	92	1929	己巳	44	52	1969	己酉	21	12	2009	己丑
5	91	1930	庚午	45	51	1970	庚戌	22	11	2010	庚寅
6	90	1931	辛未	46	50	1971	辛亥	23	10	2011	辛卯
7	89	1932	壬申	47	49	1972	壬子	24	9	2012	壬辰
8	88	1933	癸酉	48	48	1973	癸丑	25	8	2013	癸巳
9	87	1934	甲戌	49	47	1974	甲寅	26	7	2014	甲午
10	86	1935	乙亥	50	46	1975	乙卯	27	6	2015	乙未
11	85	1936	丙子	51	45	1976	丙辰	28	5	2016	丙申
12	84	1937	丁丑	52	44	1977	丁巳	29	4	2017	丁酉
13	83	1938	戊寅	53	43	1978	戊午	30	3	2018	戊戌
14	82	1939	己卯	54	42	1979	己未	31	2	2019	己亥
15	81	1940	庚辰	55	41	1980	庚申	令2	1	2020	庚子
16	80	1941	辛巳	56	40	1981	辛酉	3	0	2021	辛丑

令和3年年回表

1周忌	令和2年	23回忌	平成11年
3回忌	平成31年	27〃	7
7〃	27	30〃	4
13〃	21	33〃	1
17〃	17	37〃	昭和60年
21〃	13	50〃	47

結婚記念日

1年 紙 婚 式	20年 陶器婚式
2年 藁 婚 式	25年 銀 婚 式
3年 菓子婚式	30年 真珠婚式
4年 革 婚 式	35年 珊瑚婚式
5年 木 婚 式	40年 ルビー婚式
7年 銅 婚 式	45年 サファイア婚式
10年 錫 婚 式	50年 金 婚 式
15年 水 晶 婚 式	70年 プラチナ婚式

●年間予定表

	1月	2月	3月	4月	5月	6月
1						
2						
3						
4						
5						
6						
7						
8						
9						
10						
11						
12						
13						
14						
15						
16						
17						
18						
19						
20						
21						
22						
23						
24						
25						
26						
27						
28						
29						
30						
31						

7月	8月	9月	10月	11月	12月	
						1
						2
						3
						4
						5
						6
						7
						8
						9
						10
						11
						12
						13
						14
						15
						16
						17
						18
						19
						20
						21
						22
						23
						24
						25
						26
						27
						28
						29
						30
						31

令和 **3** 年 略歴

2021

国民の祝日

元　　　　　日	1月1日
成 人 の 日	1月11日
建国記念の日	2月11日
天 皇 誕 生 日	2月23日
春 分 の 日	3月20日
昭 和 の 日	4月29日
憲 法 記 念 日	5月3日
みどりの日	5月4日
こどもの日	5月5日
海 の 日	7月19日
山 の 日	8月11日
敬 老 の 日	9月20日
秋 分 の 日	9月23日
スポーツの日	10月11日
文 化 の 日	11月3日
勤労感謝の日	11月23日

行　　事

メ ー デ ー	5月1日
母 の 日	5月9日
気 象 記 念 日	6月1日
世界環境デー	6月5日
時 の 記 念 日	6月10日
父 の 日	6月20日
終 戦 記 念 日	8月15日
統 計 の 日	10月18日
クリスマス	12月25日

民俗行事

七　　　　　草	1月7日
小 正 月	1月15日
二 十 日 正 月	1月20日
初　　　　　午	2月3日
旧 正 月	2月12日
ひ な 祭 り	3月3日
は な 祭 り	4月8日
端　　　　　午	5月5日
七 夕	7月7日
ぼ ん	7月15日
月 遅 れ ぼ ん	8月15日
旧 ぼ ん	8月22日
十 五 夜	9月21日
十 三 夜	10月18日
七 五 三	11月15日

そ の 他

土 用(冬)	1月17日
社 日(春)	3月21日
彼岸入り(春)	3月17日
彼岸明け(春)	3月23日
土 用(春)	4月17日
土 用(夏)	7月19日
彼岸入り(秋)	9月20日
彼岸明け(秋)	9月26日
社 日(秋)	9月27日
土 用(秋)	10月20日

節 気 ・ 雑 節

小 寒	1月5日	立 夏	5月5日	二 百 十 日	8月31日
大 寒	1月20日	小 満	5月21日	白 露	9月7日
節 分	2月2日	芒 種	6月5日	二百二十日	9月10日
立 春	2月3日	入 梅	6月11日	秋 分	9月23日
雨 水	2月18日	夏 至	6月21日	寒 露	10月8日
啓 蟄	3月5日	半 夏 生	7月2日	霜 降	10月23日
春 分	3月20日	小 暑	7月7日	立 冬	11月7日
清 明	4月4日	大 暑	7月22日	小 雪	11月22日
穀 雨	4月20日	立 秋	8月7日	大 雪	12月7日
八 十 八 夜	5月1日	処 暑	8月23日	冬 至	12月22日

ホーランエンヤ
（大分県豊後高田市）

●節気・行事●

元	日	1日
小	寒	5日
七	草	7日
成 人 の 日		11日
小 正 月		15日
や ぶ 入 り		16日
土	用	17日
二十日正月		20日
大	寒	20日

●月　　相●

○満　　月　29日
●新　　月　13日

1月の花き・園芸作業等

花　　き

花壇予定地の堀り返しと肥料、石灰の施用。パンジー、アイスランドポピー、アリッサム、ユリオプスデージー、ロベリアなど市販草花苗の植付け。株立ちバラの剪定。庭木・花木への寒肥施用と石灰硫黄合剤、マシン油乳剤の散布。クリスマス・ホーリー、アオキなどの種子採り。

野　　菜

ほ場利用計画。資材整備。育苗材料・支柱の水洗消毒。ミツバ、フキ、チシャ、シュンギク、エンドウの防寒。キャベツ、タマネギ、ホウレンソウの中耕、追肥。ニラ、フキ、ミョウガ、ウド、ショウガ、ネギ、ホウレンソウ、ハクサイ、セルリの収穫。

果　　樹

果樹園利用計画。諸資材準備。ナシ、リンゴ、モモ、ブドウ、イチジク、カキ、クリの剪定。ミカン園の深耕、台木の準備と接ぎ穂の採取。カイガラ虫駆除のための機械油乳剤の散布。ブドウ棚、ナシ棚の修理。密植果樹園の間伐。

1月 暦と行事予定表

	節 気 ・ 行 事	予 定
1 ㊎	◉ 元日、年賀、歳旦祭、初詣、修正会	
2 ㊏	初荷、初夢、書初め、皇居一般参賀	
3 ㊐		
4 ㊊	官庁御用始め	
5 ㊋	小寒、イチゴの日	
6 ㊌	六日年越し、公現祭、下弦の月	
7 ㊍	七草、七草がゆ、人日	
8 ㊎	初薬師	
9 ㊏	宵えびす	
10 ㊐	十日えびす、初金比羅、110番の日	
11 ㊊	◉ 成人の日、鏡開き、蔵開き、塩の日	
12 ㊋	庚申、スキー記念日	
13 ㊌	新月	
14 ㊍	十四日年越し	
15 ㊎	小正月、小豆がゆ	
16 ㊏	やぶ入り、賽日、甲子、えんま詣り	
17 ㊐	土用、防火とボランティアの日	
18 ㊊		
19 ㊋		
20 ㊌	二十日正月、大寒、旧正	
21 ㊍	初大師、己巳、上弦の月	
22 ㊎		
23 ㊏	アーモンドの日、乳酸菌の日	
24 ㊐	初地蔵、法律扶助の日	
25 ㊊	初天神	
26 ㊋	文化財防火デー	
27 ㊌	国旗制定記念日	
28 ㊍	初不動	
29 ㊎	南極昭和基地開設、満月	
30 ㊏		
31 ㊐	生命保険の日、防災農地の日	

野菜・品種選びのポイント

1月の野菜づくり

家庭菜園では主要野菜や季節に合った品種を楽しんで作ることが基本です。これに加え、新しい野菜、珍しい品種を作り、調理に挑戦するのもよいでしょう。

●種袋を読む

カタログや種袋には重要な情報が記されています。これらから、①土地の気候や栽培時期に合っているか、②病気や害虫に強く、作りやすいか、③利用・調理に適しているか、などを読み取りましょう。

●作型を決める

「作型」は、種まきから収穫までのその土地と気候に適した栽培の時期と作り方を示した栽培暦のこと。気候は寒冷地、一般地、温暖地などに分けられ、その土地での作型は作付計画の基本になります。

●生育日数

生育日数の短い品種を早生、長い品種を晩生、これらの中間を中生と呼びます。タマネギの早晩性と貯蔵性には深い関わりがあり、早生品種は貯蔵性が低く、晩生品種は貯蔵性が優れています。ハクサイやスイートコーンでは早晩性が80日や90日などの生育日数で示されることもあります。

●耐病性、耐寒性などの特性

家庭菜園では病気に強い品種を選び、できるだけ農薬に頼らずに作りましょう。アブラナ科では根こぶ病に強い品種名に「ＣＲ」、萎黄病に強い品種名に「ＹＲ」が付いているものもあります。また、冬野菜では耐寒性、夏野菜では耐暑性があれば安心です。

●新しい野菜・珍しい野菜

家庭菜園ならではの楽しみに、珍しい野菜や新品種に挑戦してみてはいかがでしょうか。イタリア料理にズッキーニやバジルなど、焼き肉にはレタスの仲間のサンチェ、サラダにルッコラ、トレビスなど、新野菜は食卓の話題に上ります。

（神奈川県種苗協同組合　成松　次郎）

12か月でマスターする、漢方薬の基礎知識

漢方

健康と病気のあいだ、すなわち未病の段階から服用できると、世界的にも注目を集めているのが漢方薬です。今日から12月まで、漢方薬と利用法について、12回に渡って理解を深めていきましょう。

さて、漢方薬とは、自然界の植物や鉱物などを原料とし、その複数を組み合わせて作られた薬のことです。人類も生き物である以上、身体の不調や病気から逃れることはできません。人類の歴史とはすなわち、病にどう立ち向かったかの歴史でもあるといえるでしょう。

病気から逃れられない宿命のなか、身のまわりにあるもの、たとえばアンズの種子中の仁を食べたらセキが治まったなどの経験が驚きとともに共有され、知識として蓄積されていくのは、きわめて自然な流れでした。

東洋でこうした知識の蓄積が顕著だったのが長い歴史を有する中国で、漢末期から三国時代（220〜280年頃）にかけて編纂された「傷寒論」には、すでにアンズの仁の効能が記録されています。これは世界最古の漢方薬の本の一つで、漢方薬の名も、この時代の医療ということからついています。

漢方薬の知識が日本に伝わったのは5〜6世紀頃のことでした。飛鳥時代の701年には、国として導入を決定、典薬寮という専門の研究機関まで設けています。奈良時代には朝鮮人参や大黄、五色龍歯（ナウマン象の歯！）、桂心（シナモンの皮）などがもたらされました。これらは御物として、今も奈良の正倉院に所蔵されています。

室町時代後期には日本化が始まります。川越出身の田代三喜が明に渡って当時の最先端医療を学び、弟子の曲直瀬道三が日本にふさわしいかたちにして広めたのです。

（ライター　千羽　ひとみ）

1 月 1 日㈮	天気		行事	
	気温	℃		

●元日

年賀、歳旦祭、初詣、修正会

1 月 2 日㈯	天気		行事	
	気温	℃		

初荷、初夢、書初め、皇居一般参賀

カメムシのユニークな子育て

農業害虫として悪名高いカメムシ。実は一部の種では、親が子を護り世話をすることをご存知でしょうか。ツチカメムシの仲間は、そんな子育てカメムシの一つです。

ツチカメムシは、雌親が単独で子育てをおこないます。数十個の卵を一度に産みボール状にまとめ、それを抱えるようにして外敵から護ります。幼虫が孵化すると、餌となる植物の種子を運んできては巣に持ち帰り、幼虫に与えます。卵保護から給餌まで、まるで鳥類のように甲斐

甲斐しく子育てをする昆虫はあまり知られておらず、ツチカメムシは特別な進化を遂げた虫といえます。

ツチカメムシは、他の生き物ではみられないユニークな子育てが知られます。それは、孵化前後の僅かな期間だけにみられます。孵化が近づくと、突然、雌親は卵塊を抱えながら大きく体を揺さぶり始めます。この行動は断続的に続き、ピーク時には1分間に50回以上もの振動が卵塊に与えられます。

1 月 3 日 ㊐	天気	行事
	気温　　　℃	

1 月 4 日 ㊊	天気	行事
	気温　　　℃	官庁御用始め

　数分後、ある瞬間に卵殻が一斉に破れ、次々に幼虫が孵化をします。雌親は、孵化したばかりの幼虫に栄養卵と呼ばれる特別な卵を与えます。栄養卵は幼虫の重要な栄養源です。これがないと幼虫は飢餓状態となり、ときには幼虫同士で共食いをしてしまうこともあります。雌親は、一斉孵化を促す合図となる振動を与えることで、子供たちが等しく栄養をとる機会を与えていると考えられています。

　子育てツチカメムシの仲間は、春先の田畑に咲くヒメオドリコソウやホトケノザを主食とするものもおり、私たちの身近でもすぐにみつかります。普段あまり見ることのない足元の植物をそっとかき分けて覗いてみると、そこにはカメムシの意外な姿を見つけることができるかもしれません。

（〔国研〕森林総合研究所
　　　　森林昆虫研究領域　向井　裕美）

1 月 5 日㊋	天気		行事
	気温	℃	

小寒、イチゴの日

1 月 6 日㊌	天気		行事
	気温	℃	

六日年越し、公現祭、下弦の月

徳島県民ソウルフード「いももち」

　皆さんは郷土料理をいくつ知っていますか。徳島県には「そば米汁」「おみいさん」「ならえ」など、おいしい郷土料理がたくさんあります。中でも、今回紹介する「いももち」は徳島県を代表する特産品「なると金時（さつまいも）」を使った一品です。

　「なると金時」は徳島県の温暖な気候と吉野川の恵みがもたらした良質な砂地畑で育てられています。ずっしりとした太り具合で形もよく、鮮やかな紅色の皮を持ち、ほくほくとした食感と上品な甘みが人気です。子どもから大人まで幅広く支持されています。

　「なると金時（さつまいも）」で作る「いももち」は、秋の収穫を感謝して土地の神様をまつる「お亥の子さん」やお正月など、ハレの日に作られます。甘味料の高価な時代には、さつまいもの持つ甘みは県民にとってうれしいものであり、特に、子供たちは「いももち」の甘みと満腹感に幸せを感じていました。「なると金時（さつまいも）」にもち米をいれた「いももち」

1 月 7 日㊍	天気		行事	
	気温	℃		

七草、七草がゆ、人日

1 月 8 日㊎	天気		行事	
	気温	℃		

初薬師

の素朴なおいしさは、今でも県民に親しまれて
おり、スーパーの店頭などで販売されています。
つなぎとなる「もち米」は「もち粉」「だんご
粉（もち粉＋うるち米粉）」などに変わり、簡
単に作れるようになりました。
　「いももち」のレシピはクックパッドの徳島
県公式ＨＰ「阿波ふうど☆徳島県」に掲載して
います。皆さんも徳島県民が慣れ親しんだ「い
ももち」を通して、徳島の食を味わってみませ
んか。

（徳島県農林水産部
　　　　　もうかるブランド推進課）

1 月 9 日㊏	天気	行事
	気温　　　　℃	

宵えびす

1 月 10 日㊐	天気	行事
	気温　　　　℃	

十日えびす、初金比羅、110番の日

今も心に残る連続テレビ小説ランキング①

連ドラ視聴者投票の第1位は「あさが来た」。女性が活躍する時代の先駆けとなった、働くヒロイン「あさ」の物語です。

「朝ドラ」の名で親しまれてきたNHKの連続テレビ小説も1961年の開始以来約60年。NHKで「あなたのイチオシ朝ドラ」を募集したところ、総投票数24万以上の得票を集めてランキングが決定しました。

栄えある1位は、平成27年度後期の第93作「あさが来た」でした。今年のトピックスでは今も心に残る連ドラを特集して、懐かしい名作のプロフィールをご紹介します。

●ものがたり

江戸時代末期、京都の豪商に生まれた今井あさは、活発で相撲が大好きなおてんば娘。

幼い頃から大阪の両替商との縁談が決まっていたあさは趣味人の夫・新次郎と結婚。

何ごとにも積極的なあさは、次第に商いへの関心を高めて、義父や大阪経済の父と呼ばれる

1 月 11 日 ㊊	天気	行事
	気温　　　℃	

◖●成人の日　　　　　　　　　　　　　　　　　　　　鏡開き、蔵開き、塩の日

1 月 12 日 ㊋	天気	行事
	気温　　　℃	

庚申、スキー記念日

五代友厚から商いを学び、やがて炭坑事業を立ち上げます。さらに持ち前の行動力で銀行と生命保険事業を興して、日本初の女子大学の設立にも尽力します。幕末から明治への動乱期を前向きに生き抜いた実業家・広岡浅子をモデルに新しい女性像を描いた作品です。タイトルには社会を明るくするドラマにしたいという思いが込められているそうです。
●制作【原案】古川智映子【脚本】大森美香【音楽】林ゆうき【語り】杉浦圭子アナウンサー

【主題歌】ＡＫＢ48「365日の紙飛行機」
●出演者：
　波瑠、玉木 宏、近藤正臣、宮﨑あおいほか。ヒロインを演じた波瑠は、オーディションに４回目の挑戦で勝ち取った主役。爽やかな印象で、新しいヒロイン像を演じました。
●視聴率・放送期間平均視聴率は23.5％で、連続テレビ小説としては今世紀最高の視聴率を記録しました。

1 月13日㊌	天気		行事
	気温	℃	

新月

1 月14日㊍	天気		行事
	気温	℃	

十四日年越し

島で受け継がれる郷土の味「かいもち」

　山口県南東部に位置する周防大島町は、瀬戸内の穏やかな海に浮かぶ金魚の形をした屋代島と周囲の島々からなり、冬でも温暖な気候を活かした柑橘類の栽培や、青く澄みわたる豊かな海での漁業が盛んな町です。

　平坦な土地が少なく、水も不足しがちな島の暮らしでは、昔から米が大切にされ、人々の主食の一つとしてさつまいもが生産されてきました。

　さつまいもと餅でつくる「かいもち」は、「茶がゆ」とともに日常の食事やおやつとして愛され、食されてきました。

　「かいもち」の名前の由来は、「さつまいもと餅を一緒に蒸したり茹でたりして、お茶碗の中でかいて（かき混ぜて）食べていたから」や、「お団子のように丸めて、ふところ（懐）に入れていたから」など、諸説あります。

　今でも、各家庭で受け継がれ親しまれている、後世に残していきたい島の味です。

1 月15日㊎	天気	行事
	気温　　　℃	

小正月、小豆がゆ

1 月16日㊏	天気	行事
	気温　　　℃	

やぶ入り、賽日、えんま詣り、甲子

【材料】20個分
さつまいも：500ｇ、餅：200ｇ、砂糖：80ｇ、
　　塩：少々、きなこ：適量
【作り方】
①さつまいもの皮をむき、1cmくらいの輪切り
　にして水にさらす。
②さつまいもとさつまいもが隠れる程度の水を
　鍋に入れ、やわらかくなるまで煮る。
③さつまいもが煮えたら、さつまいもの上に餅
　をのせ、餅がやわらかくなるまでさらに煮る。

④餅がやわらかくなったら、さつまいもと一緒
　に鍋の中でつぶし、砂糖と塩を加えてさらに
　かき混ぜて、ひとかたまりにする。
⑤適温に冷めたら20等分して丸め、きな粉をま
　ぶす。

（山口県農林水産部　農林水産政策課
　　　　　　　　　　　　久行　美由紀）

1 月17日 ⦿	天気		行事
	気温	℃	

土用、防火とボランティアの日

1 月18日 ㊊	天気		行事
	気温	℃	

初観音

和牛日本一「鹿児島黒牛」の効率的生産技術

　鹿児島県は黒毛和種の飼養頭数が全国一位であり、ブランド牛である「鹿児島黒牛」は、きめ細かく柔らかい肉質に加え、霜降りのバランスが良く、脂のうまみが特長の牛肉で、国内外へ広く流通しており、輸出量は国内全体の約4割を占めています。

　このような中、肉用牛を取り巻く現状は、配合飼料価格の高止まりや、国際経済連携協定の発効に加え、新型コロナウイルス禍による牛肉需要の低迷などから肥育経営は厳しい状況にあ

り、効率的な生産技術の開発が求められています。

　当場では、平成26年から混合飼料中の粗タンパク質含量を肥育前期14.8％、後期13.4％まで高めて給与し、生後24ヵ月齢で出荷する短期肥育技術を開発しました。肥育期間を通常出荷牛（29ヵ月齢出荷）より5ヵ月短縮でき、同等の肉量・肉質を得られることから、出荷の回転率が向上するとともに、家族労働費などの固定費を圧縮し、効率的な牛肉生産と収益性の改善が

1 月19日㊋	天気	行事	
	気温　　　　℃		

1 月20日㊌	天気	行事	
	気温　　　　℃		

二十日正月、大寒、鑽日

期待されます。

　さて本県では、令和4年10月に当地で開催される第12回全国和牛能力共進会での和牛日本一の連覇に向けて、生産農家と関係者が一体となって「鹿児島黒牛」の更なるレベルアップを図っています。

　ぜひこの機会に鹿児島にお越し頂き、新鮮で安心・安全な「鹿児島の農畜産物」をご賞味ください。

全共ポスター

（鹿児島県農業開発総合センター

　　　　　畜産試験場　浦底　早紀）

1 月21日㊍	天気		行事	
	気温	℃		

初大師、己巳、上弦の月

1 月22日㊎	天気		行事	
	気温	℃		

幻の柑橘「じゃばら」 花粉症予防で注目！

　和歌山県北山村は、隣接する町や村はすべて三重県、奈良県で、和歌山県のどの市町村とも隣接しない日本で唯一の「飛び地」の村です。

　その北山村に昔から幻の果実「じゃばら」と呼ばれる自然雑種の柑橘が一本自生していました。「邪気を払う」の意味から「じゃばら」とよばれるようになり、昔から天然食酢として珍重され、正月に縁起物として食されてきました。

　これを、原木の持ち主が村の特産にできないかと村役場等へ働きかけをして、栽培を広めよ

うと努めました。

　また、この「じゃばら」を村からの依頼で研究機関や大学が調査した結果、国内はもとより世界に類のない全く新しい品種であることが分かり、1979年に品種登録を行い、村営事業として、数軒の農家で試験事業をスタートしました。

　その後、花粉症に効くと言う声が購入者から上がったので、調査分析した結果、抗アレルギー作用が期待されるフラボノイドの成分の一つ「ナリルチン」が、他の柑橘類に比べて「じゃ

1 月23日㊏	天気		行事	
	気温	℃		

アーモンドの日、乳酸菌の日

1 月24日㊐	天気		行事	
	気温	℃		

初地蔵、法律扶助の日

ばら」に圧倒的に多く含まれていることが分かりました。

　以来、村の産業を支える特産品として村をあげて栽培し、じゃばら果汁、じゃばらドリンク、じゃばらジャム、じゃばら飴、じゃばらパウダーといった商品の開発・販売に力を注いできました。

　これまでは村営事業としてやってきましたが、より安定した事業展開を行おうと令和２年４月に民営化し、新会社「じゃばらいず北山」が設立され、新商品の企画もあり、注目が集まっています。

（農林統計協会賛助会員　楠部　哲夫）

1 月25日㊊	天気	行事
	気温　　　℃	

初天神

1 月26日㊋	天気	行事
	気温　　　℃	

文化財防火デー

正　　　月

　正月は一年の初めの月、かつて陰暦を用いていた時代は、立春をもとに正月が決められていた。立春の日が元旦である。立春の前日が大晦日。立春の日は新年の始まりであると同時に、四季の春の始まりでもあることから初春とか迎春のことばが生まれた。陽暦では立春の日よりも、ほぼ1か月も早く正月がやってくるが、正月のことばを始め、初春、迎春など陰暦時代のことばが今に残っている。

正月の声で子供ら起きてくる　　　今井　菊路

お年玉もらって明日はお買い物　　　五木田千明

　元旦から泣き声や怒り声をあげては駄目だ。気嫌よく元気な声で起きてくる。

　皆揃って新年の挨拶をし、お年玉を貰う。親戚の人達がきてくれると、お年玉が増えることは間違いない。

来る人が来て元旦もたそがれる　　　髙橋　正二
重箱に詰めて絵になるお正月　　　佐竹　君女

　お節料理は12月中頃から準備に入るだろう。いろどりよく重箱に詰められた料理は、元旦の

1 月27日㊌	天気		行事	
	気温	℃		

国旗制定記念日

1 月28日㊍	天気		行事	
	気温	℃		

初不動

卓上に披露される。正月をより正月らしくしてくれる。最近は通信販売によるお節料理が広まってきており、11月ともなればテレビCMやチラシが増える。

いい姿勢一月一日電話口　　　　山田　菊人
正月は帰れませんが元気です　　吉岡　茂緒

　仕事の都合や家庭の事情で故郷へ帰れない人もいる。

　正月は1月のことだが、狭義には仕事始めまでの3が日、あるいは門松を取り払う7日までの1週間の2通り位だろうか。元旦を「大正月」、15日を「小正月」として、小正月の行事も地域によっては行われている。

みかんみかんみかんの皮の三箇日　　貴田金星
小正月済んで普段の顔になり　　　　森　花江

　1月は年の初めとあって、公私共に様々なることがある。昨年来、コロナ感染予防の面から少なくなったが、それでもあることはある。

一つずつ済んで正月あっけなし　　　脇坂　正夢
　　　　　　　（NHK学園川柳講師　橋爪まさのり）

1 月29日㊎	天気		行事
	気温	℃	

南極昭和基地開設、満月

1 月30日㊏	天気		行事
	気温	℃	

あんもち雑煮　〜全国的にも珍しい讃岐ならではの味〜

　昔、砂糖は讃岐三白の一つでした。明治時代にまだまだ甘味が貴重であったころ、砂糖作りに精を出した農民たちが、めでたい正月に砂糖を使ったあんもちを雑煮にしたものが始まりと言われ、今も多くの県民に愛されています。

木綿豆腐：1／3丁
白みそ：80〜100ｇ
青のり：少々
だし汁：煮干し（伊吹いりこ）30ｇ
水：4カップ（800cc）

【材料4人分】
　丸もち（あん入り）：4個
　金時ニンジン：80ｇ
　ダイコン：50ｇ

【作り方】
①煮干しは頭とはらわたを取り、分量の水とともに鍋に入れる。
②①の鍋はふたをせずに強火にかけ、沸騰した

コラム

マックシェイクはわざと飲みにくくしている

日本にマクドナルドが上陸したのは1971年。それ以来、国内では競合他社がマクドナルドの牙城を崩すことは出来ませんでした。その陰には、客のニーズを研究して取り組んできた、独自の商品開発があったのです。

例えばマックシェイク。あのオリジナル飲み物には、周到な計算がなされています。

マックシェイクを初めて飲んだ人は、飲みにくさに閉口したことでしょう。特にアイスクリームが溶けていない段階では、ストローで吸っても中々吸い込めず、イライラした経験がある方のでは。実は、これはわざと吸いにくくしています。「人間がものを吸い込むときに最もおいしいと感じるのは、赤ちゃんが母乳を吸い込む時の速度」だというマクドナルドの研究結果、考えがあるのです。

ら弱火にし、あくをすくい取りながら15分ほど煮出して、ザルでこす。
③ニンジン、ダイコンは皮をむき厚さ3mmくらいの輪切りにする。
④鍋に②でとっただし汁と、③を入れて中火で煮る。
⑤野菜が煮えたらもちを入れ、もちが少し柔らかくなったら、白みそをだし汁で溶かしながら入れる。
⑥3×1cm角に切った豆腐を入れ、ひと煮立ちさせる。
⑦椀に盛り、青のりをふる。

(注) あんもちは、大福で代用できません。

(香川県農業協同組合)

寝起きの水分補給は「白湯」がおすすめ

　朝起きて間もないときに冷たい水を飲むと、便秘の解消になるという説があります。しかし、冷たい水は体への刺激が強いので、内臓の機能を低下させます。ですので、体が冷えている寝起きにはおすすめできません。

　特に胃腸系の弱い人や不整脈などの心臓に病がある人は、体を急に冷やすことになってしまう冷たい水は避けた方が良いでしょう。

　そこで、おすすめしたいのが、温度が約50℃くらいの「白湯」（湯冷まし）を飲むことです。

　一度沸騰させたお湯を冷ました白湯は、水道に含まれているカルキなどが蒸発しているので、柔らかい口当たりになります。家庭用の浄水器や、現代のようにミネラルウォーターが一般的になる以前は、赤ちゃんの粉ミルクなどには白湯を使っていました。

　寝起きの状態では、体温は低くなっていることが多いものです。この時に温かい白湯を飲んでみると、体の内側からぽかぽかしてくるのが実感できるでしょう。

　白湯で胃腸を温めると、全身の血流の流れが良くなり、加齢とともに低下する基礎代謝もアップさせることができます。また、白湯にはいわゆる「デトックス効果」もあり、生活慣習病の原因になる老廃物や脂肪分を体外に排出させる働きもあります。

　朝の水分補給が大切なことは間違いありません。我々が一晩の睡眠で失う水分は約500ccと言われています。朝は温かい白湯で水分補給をして、体を活性化させましょう。

　人間の1日に必要な水分量は、体重の30分の1だそうです。例えば体重60kgの人なら2ℓくらいです。食事で摂取する水分は1ℓくらいなので、不足分の1ℓは意識的に摂取したほうが良いのではないでしょうか。

参考図書「あなたの健康常識は間違っている
　　　　　やってはいけない」㈱アントレックス

明るい色の服を着て、気分も軽やかに！

　年齢を重ねていくにつれて、人はなぜか暗めで渋い色の服を選ぶようになります。特に日本人は「人にどう見られるか」という意識が働き、自分の好みより周りに合わせようとし、目立たない服をチョイスしがちです。

　若いときは、モノトーンの服を着てもおしゃれに見えますが、年齢を重ねた人が着ると、よけいに老けた印象を与えます。

　着ている服は、人の心理状態に大いに関与していると言われます。明るい色の服を着ると、気持ちまで明るくなった経験はありませんか？

　また、普段と違った感じの服を着ると気分も高揚し、外出してみたくなったりします。外出すると、今度は違った風景や人と出会ったりして、コミュニケーションをとる機会が増え、脳を刺激します。そしてこれがアンチエイジングに結びつきます。

　家族以外の人との会話は、普段以上に色々なことを考えながら会話をするので、脳の活性化にとても効果的です。「誰かに見てほしい、感想を聞きたい」等と思いをはせることによって、若い気持ちになり、活動的に変化することができます。

　どの服にしようか迷ってしまう人は、家族に来てもらって意見を聞くのも良いですし、お店の人にアドバイスしてもらうのも良いでしょう。

　久しぶりの同窓会に出席すると、同年齢なのに若々しい人と、年齢以上に老けている人がいることに気づくと思います。そのようなときによく観察すると、若々しく見える人はおしゃれな服をうまく着こなしていたり、明るいトーンの服や小物を身につけていることが多いはず。年齢に縛られることなく、いつまでもおしゃれに明るい服を着てみて下さい。

参考図書「あなたの健康常識は間違っている
　　　　　やってはいけない」㈱アントレックス

2月
February

かまくら
（秋田県横手市）

●節気・行事●

節	分	2日
立	春	3日
初	午	3日
建国記念の日		11日
旧 正 月		12日
雨	水	18日
旧 小 正 月		26日

●月　相●

○満　　月　27日
●新　　月　12日

2月の花き・園芸作業等

花　　き

サクラソウの株分けと植替え。ツルバラの支柱への誘引。チューリップ、ムスカリ、スイセンなど秋植え球根の追肥。ウメ、サクラ、モクレン、バラなど落葉樹の接木。落葉樹の剪定と移植。生け垣の剪定と追肥。芝生の目土入れ。

野　　菜

早熟用果菜類の播種。夏採セルリ、チシャの冷床播種。半促成果菜類支柱消毒。カブ、ダイコン、ホウレンソウの播種。秋まきキャベツ、カリフラワー、ブロッコリー、ネギの定植。

果　　樹

落葉果樹の植付け、剪定整枝。粗皮削り、落葉果樹に対する施肥。ナシ、ブドウの誘引。ブドウ、ウメの接ぎ木。ブドウ、イチジクの挿し木。ミカン園の深耕、ガスくん蒸。ブドウの剥皮。ウメケムシの採卵、焼殺。

2月 暦と行事予定表

	節 気 ・ 行 事	予 定
1 (月)	テレビ放送記念日	
2 (火)	節分、豆まき、恵方巻き、国際航空再開の日 交番設置記念日、麩の日	
3 (水)	立春、初午	
4 (木)		
5 (金)	下弦の月	
6 (土)	海苔の日	
7 (日)	北方領土の日	
8 (月)	こと始め、針供養	
9 (火)	河豚の日、服の日	
10 (水)	ニットの日、ふとんの日	
11 (木)	◉ 建国記念の日	
12 (金)	旧正月、レトルトカレーの日、新月	
13 (土)	苗字制定記念日	
14 (日)	聖バレンタインデー	
15 (月)	全国緑化キャンペーン、ねはん会	
16 (火)	全国狩猟禁止、天気図の日、寒天の日	
17 (水)	アレルギー週間（23日まで）	
18 (木)	雨水	
19 (金)	万国郵便連合加盟記念日 ひな人形飾り付けの日	
20 (土)	歌舞伎の日、ア似合せの日、交番の日	
21 (日)	日刊新聞創刊の日	
22 (月)	世界友情の日、猫の日	
23 (火)	◉ 天皇誕生日、税理士記念日、ふろしきの日	
24 (水)		
25 (木)		
26 (金)	旧小正月、二・二六事件の日（昭和11年）	
27 (土)	満月	
28 (日)	ビスケットの日	

2月の野菜づくり

市民菜園を借りる

春は菜園のスタート時期で、開設者が市町村である場合は、利用開始期が3〜4月となることが多いようです。市民菜園を借りるに当たっては開設者が定めるルールに従ってください。

●雑草だらけにしない

夏には雑草の生長も盛んで1週間も通わないと雑草がはびこり、まわりの畑にも広がってしまいます。雑草の種をまき散らすと、知らずに借りる翌年の利用者にも迷惑を掛けます。なお、除草剤の使用を禁止している菜園もあります。

●野菜残渣やゴミの処理

雑草や収穫後などに出る野菜の茎葉を埋没したり、堆肥にすることもできますが、利用期間が1年では堆肥を土作りに利用できません。残渣は少し乾燥させて持ち帰るとよいでしょう。

●農薬の利用

農薬の使用は使用基準に従い、隣接する畑に飛散しないようにしてください。区画の周囲を防風ネットや寒冷紗などで囲って、飛散を防ぎましょう。

●領地侵犯

区画が隣接するため、草丈の高いスイートコーン、つるの伸びるカボチャなどは境界近くに植えないこと。また、土壌の病害虫を予防するためにも、他の区画に立ち入らないことが原則です。

●隣接する人とのコミュニケーション

市民菜園は同じ趣味を持つ同士の交流の場でもあり、和気あいあいと菜園ライフを楽しむ雰囲気を作りましょう。

●市街地での作業

菜園が宅地にある場合は、早朝の作業は避けましょう。また、大声での会話は近所迷惑となるので、気をつけてください。

（神奈川県種苗協同組合　成松　次郎）

漢方

漢方は日本で改良された日本独自の医療

中国で暮らしと経験のなかから生み出された漢方薬は、江戸初期に曲直瀬道三（1507〜1594年）の手によって、日本の風土や日本人の体質、ライフスタイルに合ったものに改善されていきました。江戸中期になるとローカライズはさらに加速化、現在の日本漢方の基礎である古方派が誕生しました。

その後、さまざまな流派が生まれましたが、各派の切磋琢磨のなかから生み出されたのが「腹診」です。これは、舌の色や脈の状態、お腹の硬さなどを触診するもので、日本で開発された診断法です。

「気・血・水」も、漢方独自の診察法です。

健康は身体を巡る「気・血・水」のバランスが重要であるとする考え方で、気とは生命活動を支えるエネルギーのことをいい、血は全身を巡って栄養を与える血液、水は身体の7割を占める水分のことです。

たとえば、気が消耗することを気虚、停滞した状態を気滞、気が溜まって頭に上った状態を気逆といいますが、血や水も、同じような考え方で診断します。

このほか、症状は外からの影響で現れたものなのか（外因）、あるいは身体の機能低下が原因なのか（内因）や、体力の充実や抵抗力が充実しているか（実証）、体力がなく、弱々しいか（虚証）。ほかにも五臓六腑を心・脾・肺・腎・肝とし、それらの調和を計ることから健康を保とうとするのも大きな特徴といえるでしょう。

漢方ではこれらの情報をもとに、その人の体質や病気の原因にあった薬を、その都度調合していくわけです。その都度の調合ですから、同じような症状であっても、まったく別の薬が提供さえることもあります。

（ライター　千羽　ひとみ）

| 2 月 1 日㋰ | 天気 | 行事 |
| | 気温　　　　℃ | |

テレビ放送記念日

| 2 月 2 日㋫ | 天気 | 行事 |
| | 気温　　　　℃ | |

節分、豆まき、恵方巻き、国際航空再開の日、交番設置記念日、麩の日

日向夏は、なんと200才!!

　皆さんは、日向夏を知っていますか。宮崎を代表する鮮やかな黄色い柑橘です。

　日向夏の特徴は、何といってもその食べ方です。一般的な柑橘とは異なり、リンゴをむく要領で包丁などを使い、黄色い部分を薄くむき、ふかふかの白皮（アルベド）と果肉を一緒に食べます。旬は、12月～4月です。

　日向夏は、文政年間（1818～1831年）に宮崎市で発見されました。夏の暑い日の喉が渇いた時に、竹藪の中の黄色い果実を見つけたのが始まりとされています。

　日向夏と命名されたのは、1887年。田村利親氏が「日向の夏みかん」ということで名付けました。

　その後、日向夏は、県内に留まらず、高知県など県外まで栽培されるようになりました。2002年には、県は「種なし、または種が少ない日向夏」を県のブランド認証品目とし、PRに力を入れてきました。その結果、栽培面積、生産量共に全国1位、2019年の生産量については、

2 月 3 日㊌	天気		行事
	気温	℃	

立春、初午

2 月 4 日㊍	天気		行事
	気温	℃	

全国の60％を占め、宮崎が全国に誇る果実となっています。

　近年では、飲料メーカーや製菓メーカーなどの企業とコラボ商品などを展開しているので、皆さんも日向夏味の商品を目にしたことがあるのではないでしょうか。

　宮崎県では、2020年を「日向夏発見200年」として位置づけ、日向夏の歴史やおいしさなどの魅力を再発見していただく取組みとして、「日向夏200年特設サイト」を開設しています。その中で、イベントやプロモーション情報を発信しています。

　発見から200年、「日本のひなた 宮崎県」を代表する果物「日向夏」を是非味わってみませんか。

（宮崎県農業連携推進課
　　　みやざきブランド推進室）

2 月 5 日㊎	天気	行事
	気温　　　℃	

下弦の月

2 月 6 日㊏	天気	行事
	気温　　　℃	

海苔の日

高温処理によるにらのネダニ類防除

にら栽培において、連作によりほ場内のネダニ類密度が高まりやすく、品質や収量の低下をもたらすことから問題となっています。本害虫に対しては一般的に農薬による防除が行われていますが、使用できる農薬の種類が少なく、有効な防除対策の確立が求められています。

そこで、栃木県農業試験場ではネダニ類に対して容易に実施できる防除対策として、ビニル被覆による高温処理の防除効果を検証しました。

★処理内容

にら地上部を刈取り後、農業用ビニルで地表全面を被覆するとともにハウスを密閉しました。なお処理は、作付け終了後の春期に行いました。

★防除効果

地表被覆とハウス密閉を行ったほ場では、地下5cmの地温がネダニ類が30分間で死滅するとされる40℃以上の状態に数時間維持できました。その結果、ネダニ類密度は大幅に低減され

2 月 7 日㈰	天気		行事
	気温	℃	

北方領土の日

2 月 8 日㈪	天気		行事
	気温	℃	

こと始め、針供養

ました。なお十分な地温を維持できたのは晴天
日に限られたため、処理期間中の天候には注意
する必要があります。

（栃木県農業試験場　病理昆虫研究室

八板　理）

2 月 9 日㊋	天気		行事
	気温	℃	

河豚の日、服の日

---

2 月10日㊌	天気		行事
	気温	℃	

ニットの日、ふとんの日

世界最大の果実　晩白柚（ばんぺいゆ）〜農林水産省の地理的表示（GI）保護制度に登録〜

◇「晩白柚（ばんぺいゆ）」は熊本県八代地域で栽培されています。

　熊本県の南部にあたる八代地域は、八代海に面した温暖な気候で、蜜柑を始め多くの柑橘類が栽培されています。

　世界最大の果実といわれている「晩白柚（ばんぺいゆ）」は、さぼんの一種で皮が厚く、直径20cmで重さ2kg、大きいものは直径25cm、重さ3kg以上にもなります。

　香りがよく、果肉は果汁は少ないが、さくさくとした歯ざわりで、完熟すると甘みと酸味のバランスに優れ、おいしさが増します。

◇「晩白柚（ばんぺいゆ）」は、他の柑橘類の花粉を受粉させないと実がつかないため、人工授粉が必要となります。

　11月下旬〜2月上旬までに収穫し、一部はハウスの中で熟成させてから出荷させる農家もあります。

　果肉を直接食べるとともに、ゼリー、ジャム、マーマレードや、厚い皮を砂糖漬けにし

2 月11日 (木)	天気		行事	
	気温	℃		

[◉]建国記念の日

2 月12日 (金)	天気		行事	
	気温	℃		

旧正月、レトルトカレーの日、新月

　たザボン漬けも人気があります。
◇2020年３月には、全国94の産品が登録されて
　いる農林水産省の地理的表示（GI）保護制度
　に「八代特産晩白柚」として登録されました。
　　熊本県では、他に「熊本県産い草」「熊本
　県産い草畳表」「くまもとあか牛」等が登録
　されており、登録を機に、産地の栽培意欲の
　拡大などの地域農業の活性化や売り上げの拡
　大、海外でのブランド化に期待が寄せられて
　います。
　　　　　　　　　（農林統計協会　熊本県賛助会員

　　　　　　　　　　　　　　　　　　椎葉　和男）

2 月13日㊏	天気		行事
	気温	℃	

苗字制定記念日

2 月14日㊐	天気		行事
	気温	℃	

聖バレンタインデー

今も心に残る連続テレビ小説ランキング②

総投票数２万8,754票で２位に選ばれたのは、平成25年前期放送のヒット作、第88作目の「あまちゃん」でした。

海女からアイドルへと目標を変えながらも、笑顔を絶やさない天野アキの生き方が何とも魅力的な作品。東日本大震災の被害にも負けず、全力で前に進むその姿は、私たちに大きな勇気と感動を与えてくれました。

宮藤官九郎によるユーモラスな脚本と大友良英の創り出す軽妙な音楽、フレッシュな俳優陣の演技が相まって作り上げた「あまちゃんワールド」は、連ドラ史上に名を残す、国民的ヒット作となりました。

●ものがたり

2008年、東京の高校に通っていた天野アキは、母春子の故郷である岩手県・北三陸に移転。現役の海女である祖母の夏子に影響されたアキは、海女になることを決意します。

東京では体験したことのない地元の人とのふ

2 月 15 日㊊	天気		行事	
	気温	℃		

全国緑化キャンペーン、ねはん会

2 月 16 日㊋	天気		行事	
	気温	℃		

全国狩猟禁止、天気図の日

れあいに刺激を受けたアキは、やがてご当地ア
イドルとしての自覚に目覚めます。
　やがて東京に出て本格的にアイドルを目指す
ようになったアキは、昔芸能界にいた母の過去
を知り、自分がその夢を叶えようと夢中で頂点
を目指しますが、その時東日本大震災が発生。
傷心のまま北三陸に戻ったアキは、
　やがて地元の復興に全力で取り組み、周囲に
明るい笑顔の輪を広げていきます。
●制作【作】宮藤官九郎【音楽】大友良英

●出演者：
　能年玲奈、小泉今日子、宮本信子、松田龍平、
古田新太、福士蒼汰、有村架純ほか
●エピソード・作中の言葉
　「じぇじぇじぇ」が流行語大賞を受賞。テー
マ曲が日本レコード大賞作曲賞を受賞するな
ど、その年の話題を独占した作品でした。また、
能年玲奈や有村架純、松岡茉優や福士蒼汰など
のフレッシュな新人が、このドラマを機に大ブ
レイクを果たしました。

2 月17日㊌	天気	行事	
	気温 ℃		

アレルギー週間（23日まで）

2 月18日㊍	天気	行事	
	気温 ℃		

雨水

果物王国福島 〜多品目栽培〜

福島県は東北の南の玄関と言われ、会津・中通り・浜通りと３つの地域からなり、会津の献上柿、中通りの桃、浜通りのメヒカリなどの海産物と、それぞれ地域で特徴のある産品があります。

各地域の特徴は、会津地域では身不知柿が栽培されていて、献上柿で有名です。また、会津鶴ヶ城天守閣や飯森山（白虎隊自決の悲劇17名）などがあります。

中通り北部では、果物が多く栽培されていて、献上桃、りんご、なし、ブドウなどが生産され、特にあんぽ柿が有名です。南部ではきゅうり、ピーマンが栽培されています。

浜通りは海岸線が157kmにもおよび、底物のカレイ、ヒラメ、タコなど魚種も豊かで、それらは港に水揚げされます。

福島市で震災後の農産物の安全性を評価する「ギャップ（農業生産工程管理）」第１号を取得し、第３回ふくしま産業賞を受賞された「まるせい果樹園」（社長 佐藤清一さん）の経営を紹

2 月19日㊎	天気		行事	
	気温	℃		

万国郵便連合加盟記念日、ひな人形飾り付けの日

2 月20日㊏	天気		行事	
	気温	℃		

旅券の日、歌舞伎の日、上弦の月

介します。

父から果樹園を任された時は、樹園地 4 ha でしたが、有休農地を利用拡大し、いまでは 8.5 haの園地で果樹栽培を行っています。

主要品目は、サクランボから始まり、桃、ブドウ、りんごで、収穫体験も可能ですし、宅配も行っています。当然直売所もあります。あんぽ柿の生産・出荷もしています。

令和 2 年現在、「ギャップ」取得者は、福島県内に170人ほどいられます。

最後に佐藤社長は、「質の良い果樹生産」はもちろん、良い農場経営が出来るように努力していきたい。また、福島県農業とGAP普及に努めたいと話していられました。

【お問い合わせ先】
まるせい果樹園
TEL 024・541・4465
FAX 024・573・7566
（福島農林統計OB会　事務局長　平田　保）

2 月21日 ⽇	天気		行事	
	気温	℃		

2 月22日 ㊊	天気		行事	
	気温	℃		

鬼

2月3日は節分。「福は内、鬼は外」と唱えながら豆を撒いて鬼を追い払う行事で、家庭でも社寺でも行われる。人を食べ、害をなす鬼は悪の権化である。平安時代から鎌倉時代末期頃までは、宮中における大晦日の行事であった。矛と盾で追い出した鬼を、桃の木の弓で葦の矢を射た。

鬼は外その鬼たちはどこ行く　　　古沢蘇雨子

川柳で詠われる鬼の多くは、心の中に棲む鬼である。今回は生身の鬼をとりあげよう。

若い鬼最近見ない鬼が島　　　　　近藤　敏昭
国産の大豆に会えぬ春の鬼　　　　河内　天笑

地獄絵などで会う鬼は、額に角、口には牙を生やした恐ろしい形相で、裸体に虎の皮のふんどしをまとった姿である。鬼の世界も高齢化がすすみ、輸入大豆の世話になっているからか、風貌や性質が昔とかわったのかもしれない。

金棒を無くした鬼のボケ進む　　　田中　和夫
気の弱い鬼が仏の掌に触れる　　　大畠美律子
虎の皮の下でふやけた鬼の臍（へそ）　越郷　黙朗

2 月23日㊋	天気	行事
	気温　　　℃	

📷●天皇誕生日　　　　　　　　　　　　　　　　　　　　　　　　　税理士記念日、ふろしきの日

2 月24日㊌	天気	行事
	気温　　　℃	

　　童話の世界だが、その昔、桃太郎が、犬、猿、雉を伴に鬼が島へ鬼退治に行った。イザナギ、イザナミの時代から桃には霊力があるとされてきた。霊力をもつ桃から生まれた桃太郎に鬼は勝てるわけがなかった。

桃太郎は鬼だオニの子が思う　　　野里　猪突

桃太郎より弱い鬼しかいぬ童話　　加藤　翠谷

　江戸小咄を集めた「座笑産」に『年越』の話がある。短いので原文のままに記すと。

　『近所ではわれがちに豆まきの声。丹那殿はまだ戻られず、丁稚にでも撒かせよと言いつける。この丁稚、どもりにて豆を掴み「おおおおお」ばかり言えば、門口の鬼欠伸をしながら「これ、出るのか、入るのか」』

ものぐさの鬼が聞いている福はうち　荒川　稔子

　考えてみると、大豆をぶつけられると逃げだしてしまう鬼は可愛いし、聞き直すところは愛嬌もある。角も牙も捨てたようだ。

　　　　　　（NHK学園川柳講師　橋爪まさのり）

2 月 25 日㊍	天気	行事
	気温　　　　℃	

2 月 26 日㊎	天気	行事
	気温　　　　℃	

旧小正月、二・二六事件の日

北の春告魚「にしん」をどうぞ　幻の魚から資源復活で再び庶民の魚に

　北海道では、北の春告魚と呼ばれる「にしん」が近年大漁に沸いています。これに伴って漁体が30cmを超える立派なにしんが店頭に並び、価格も手ごろな庶民の魚として、食卓に乗る機会が増えました。

　北海道のにしん漁は、明治の最盛期に年間100万トン近くの水揚げを誇り、北海道の繁栄を築きました。しかし1897年(明治30年)をピークに年々漁獲量は減り続け、1990年代には年間で2,000～3,000tレベルにまで落ち込み、「幻の魚」と呼ばれるほどになりました。

　このため漁業関係者が、人工授精による稚魚放流や、漁網網目の自主規制で小さな魚を獲らないなど資源復活の努力を長年続けた結果、ここに来て水揚げ量が少しずつ増え続けており、平成30年の道内漁獲量は 1 万2,300t余りになりました。

　日本海沿岸などでは、冬から春にかけてにしんの大群が沿岸に押し寄せ、産卵による海が白く濁る「群来（くき）」も見られるようになり

2 月27日㊏	天気	行事	
	気温　　　℃		

満月

2 月28日㊐	天気	行事	
	気温　　　℃		

ビスケットの日

ました。
　にしんの旬は2〜6月で、この時期が脂が乗っていておいしいと言われています。調理法は色々ありますが、一番は何といってもシンプルな塩焼きでしょうか。新鮮なら刺身でも食べられます。また、開いた生干しや、蒲焼き、煮付け、昆布(こぶ)巻き、にしんそば、更には身欠きにしてキャベツ・大根・米麹などと漬け込む、にしん漬けなども絶品です。
　数の子はにしんの卵を乾燥または塩漬けにし

たもので、少し高価になりますが、こちらと合わせて北海道の春の味覚、にしんをぜひご賞味ください。

（農林統計協会　賛助会員　三津田　裕二）

朝食を抜くとかえって太る

忙しいという理由から、またダイエット目的で朝食を抜く人が、若い人を中心に増えているように見受けられます。

朝は、前日の夕食から空腹状態が続いているため、体が栄養を欲しています。このような状態で朝食を抜くと、胃腸は次の食事で、つまり昼食で体内に必要なカロリーを最大限に蓄えようとします。そこで普段よりも糖質（ブドウ糖）の吸収が高まり、血糖値が急激に上昇します。

さらに脂質の吸収も促進され、体内に脂肪がいつも以上に蓄積されることになります。

血糖値が急激に上昇すると、今度は2時間から4時間後に急激に下降するパターンをとります。血糖値が下がると、今度は脳のなかの食欲をつかさどる部分が空腹を感じ、糖分が欲しくなる信号を発します。

この命令に従って甘いものを食べてしまうと、血糖値が急上昇する悪循環に陥ります。

血糖値の急上昇と急下降を繰り返していると、これが習慣化して血糖値を下げる役割をしている「インスリン」が、脳内で過剰に糖分をとるよう指示を送るようになり、結果として過食による肥満へとすすんでいきます。

朝食を抜く食生活をしていると肥満だけではなく、「インスリン」の分泌障害を引き起こして糖尿病や高血圧になるリスクも高めてしまいます。ですから、朝食は必ずきちんと食べる習慣をつけておくことが大切です。

朝食には、「パン」より「ご飯」が体に良いというのはご存知ですか。脳や体を目覚めさせる朝食に必要な栄養素は、糖質（炭水化物）です。血糖値の急上昇・急下降を防ぐのには、ゆっくりと体に吸収されていくご飯が最適です。

参考図書「あなたの健康常識は間違っているやってはいけない」㈱アントレックス

コーヒーを飲むと口臭の原因になる？

コーヒーのいい香りが、いやな口臭のもとに変化することがあるのでしょうか？

仕事をしながら、本を読みながら、淹れたてのコーヒーを飲むのは至福のひとときです。好きな人は1日に何杯も飲まれるかもしれません。アロマの効果やカフェインの覚醒効果は良く知られていますが、案外知られていないのが、口臭の原因になるということです。

コーヒーが口臭のもとになる原因として、口腔内のpHの低下だと言われています。コーヒーの特徴でもある酸味は、口腔内のpHを低下させ、コーヒーの渋みは唾液の分泌を抑制します。唾液の機能として、口腔内のpHを安定させて口臭を緩和してくれる作用があるのですが、唾液の分泌が減少すると口腔内が渇いてpHが下がるので、口臭を引き起こしてしまうようです。

したがってコーヒーを飲みすぎると唾液の分泌量が減り、口臭が緩和されずに残ってしまうという訳です。また、コーヒーは焙煎した細か

い豆の微粒子が舌に残りやすく、そのままにしておくとミルクや砂糖と混ざり、臭いがいつまでも残ってしまうので注意が必要です。

口臭を防ぐためには、コーヒーを飲むときに水を用意しておいて、コーヒーを飲み終わったら、すぐに水を口に含むと、口腔内に残っているコーヒーの味や香りを取り除くことができます。

水を含むより、歯を磨いた方が効果的に思えますが、コーヒーを飲んだ後にすぐ歯を磨くと、口腔内の乾燥がすすんで、唾液の量が減ってしまいます。それが歯磨き粉の臭いと混じりあって、かえっていやな臭いになってしまいます。

参考図書「あなたの健康常識は間違っているやってはいけない」㈱アントレックス

だるま市
(深大寺)

3月の花き・園芸作業等

●節気・行事●

ひなまつり	3日
啓 蟄	5日
彼 岸 入 り	17日
春 分 の 日	20日
社 日	21日
彼 岸 明 け	23日

●月　　相●

○満	月	29日
●新	月	13日

花　き

草花苗の花壇への定植。グラジオラス、カンナ、アマリリス、ダリアなど春植え球根の花壇や鉢への植付け。花壇の霜よけの取り外し。クレマチス、キキョウ、フロックス、ホトトギスなど宿根草の追肥と株分け。スイレンの植替え。ウメの花後の剪定。落葉樹の挿し木。

野　菜

普通栽培の果菜類の苗床播種。カボチャ、スイカ、トウガン、キャベツ、菜類、ネギ、豆類、ゴボウ、ダイコン、ニンジン、セルリ、春まきハクサイの播種。トマト、ネギ、カボチャの移植。キャベツ、トンネルハクサイの定植。ショウガの催芽、土入れ。ハスの定植。菜類、ゴボウ、ニンジンの収穫。

果　樹

ミカン、ビワの剪定施肥。ビワの摘果袋かけ。ウメ、モモ、ナシ、カキ、リンゴ、ビワの接ぎ木。ミカン類の施肥。除コモ。ブドウ、ナシの誘引。ミカン類貯蔵庫の管理。落葉果樹の薬剤散布。

3月 暦と行事予定表

	節 気 ・ 行 事	予 定
1 （月）	春の全国火災予防運動（7日まで） デコポンの日	
2 （火）		
3 （水）	**ひな祭り、耳の日、桃の日**	
4 （木）	ミシンの日、バウムクーヘンの日	
5 （金）	**啓蟄**、珊瑚の日	
6 （土）	スポーツ新聞創刊の日、下弦の月	
7 （日）	消防記念日、メンチカツの日	
8 （月）	国際婦人デー、さやえんどうの日	
9 （火）	記念切手の日、雑穀の日	
10 （水）	農山漁村婦人の日	
11 （木）		
12 （金）		
13 （土）	新撰組の日、庚申、新月	
14 （日）	二日灸、ホワイトデー、さーたあんだぎーの日	
15 （月）	靴の日	
16 （火）	国立公園の日、財務の日	
17 （水）	**彼岸入り、甲子**	
18 （木）	点字ブロックの日	
19 （金）	ミュージックの日	
20 （土）	**春分の日、春分**、彼岸中日、上野動物園開園記念日、旧新嘗祭、旧ひこ丸め	
21 （日）	社日、上弦の月	
22 （月）	NHK放送記念日、己巳	
23 （火）	**彼岸明け**、世界気象デー	
24 （水）		
25 （木）	電気記念日	
26 （金）		
27 （土）	さくらの日	
28 （日）		
29 （月）	作業服の日、満月	
30 （火）		
31 （水）	教育基本法・学校教育法公布記念日、年度末、 天赦日	

育苗培土について

育苗培土は、良質な苗ができるように適切な物理性、化学性を持ち、病害虫を含まない培土です。物理性は通気性、保水性・排水性がよく、化学性は肥料成分がほどよく配合され、肥料を保つ力のことです。

は種床、ポット育苗、セル成型苗の育苗に利用され、品質が均一で規格化されているため、揃いのよい苗ができます。育苗培土には、2つのタイプがあります。

粒状タイプ

原料土、有機質資材、肥料を混合して造粒機による粒状化したもので、通気性と排水性が優れ、ポット育苗などに利用されます。ポット育苗で用いられるのは丸形・黒色の径9cm（3号）～12cm（4号）を使い、果菜類の鉢上げに適した培土です。チッソ量については培土1ℓ当たり200～300mgを含み、肥料の持続期間（肥効）が30～40日程度が標準です。

粉粒状タイプ

半粒状の原料土、ピートモスやバーミキュライトなどの土壌改良資材、肥料が混合され、保水性に富み、育苗時に乾燥しにくいもので、主にセル成型苗用育苗培土に使われます。肥料分はチッソ量では1ℓ当たり100～200mgのもので肥効が20～30日のものが多い。セル成型育苗は、小容器の穴が連続したトレイで、限られた培地で生育の揃いがよく、根鉢のしっかりとした苗をつくることができます。キャベツ、レタスなどの葉菜類の育苗に向いており、128穴のセルトレイの利用が多く、少量の苗づくりでは72穴などセル容量の大きいものが使い易い。

いずれの培土も、予定より長い育苗期間になると肥料切れが起こり、育苗期後半は液肥による追肥が必要になります。

（神奈川県種苗協同組合　成松　次郎）

現在では148の処方が
健康保険適用に

漢方薬は、生薬と言われる植物や鉱物などを個人の体質や症状に合わせて調合されるものですが、長い期間利用され続けるなかで、どの生薬とどの生薬を組み合わせるとどんな効果が得られるか、あるいは、どんな症状や状態の人に向いているかなどが確認され、体系化されている組み合わせがあります。

それがカゼに効くとされる葛根湯（かっこんとう）や、冷えにいいとされる当帰芍薬散（とうきしゃくやくさん）、肥満が解消されるとＣＭにも登場する防風通聖散（ぼうふうつうしょうさん）などなどの漢方薬です。皆さんも、一度は聞いたことがあるのではないでしょうか？

こうした処方は厚生労働省も科学的に効果ありと認めていて、主要な148処方には健康保険が適用され、医療機関でも大いに活用されています。

病気や症状の改善のために医療機関で用いられる時は、西洋薬と併用して使われる場合がほとんどで、今では医師の8割が漢方薬を治療に活用しています。

これは、原料を精製してほぼ純粋な成分のみを用い、病気や症状に対してピンポイント、かつ強力に作用する西洋薬に対し、1剤に複数の有効成分を有する漢方薬は天然素材で身体にやさしく、原因が特定できないものや未病、すなわち健康と病気の間のような症状でも使えること。さらには複数の症状にも効果が期待できることからです。

さらには、西洋薬で体内の細菌を殺して熱や痛みを取り去り、その後の体質から来る症状や、検査に現れにくい症状などを漢方薬で改善します。

どちらも「苦しみを和らげたい」という目的は同じ。漢方薬と西洋薬、それぞれの特徴を上手に生かした活用がされているのです。

（ライター　千羽ひとみ）

3 月 1 日㊊	天気		行事	
	気温	℃		

春の全国火災予防運動（7日まで）、デコポンの日

3 月 2 日㊋	天気		行事	
	気温	℃		

今も心に残る連続テレビ小説ランキング③

　連ドラ視聴者投票の第3位は「ひよっこ」。東京オリンピックに沸き立つ高度成長期の日本を舞台に、ノスタルジックな時代を描くほのぼのとした作品です。

　得票数1万4,998票で第3位に輝いたのは、平成29年度前期の第96作「ひよっこ」でした。2位の「あまちゃん」で一躍全国区の人気を得た有村架純をヒロインに、東京オリンピック前夜の活気あふれる日本を描いた作品です。脚本

を担当した岡田惠和は、「ちゅらさん」「おひさま」に続き、3回目の連続テレビを手掛けたベテラン作家。ミニスカートブームやビートルズの来日など、懐かしい出来事に想いを馳せた視聴者も多いことでしょう。

●ものがたり

　東京オリンピックが開かれた昭和39年。茨城県の農村で生まれた谷田部みね子は、東京に出稼ぎに行った父が失踪したのを機に集団就職で上京。優しく支えてくれるラジオ工場の同僚や

3 月 3 日㊌	天気	行事
	気温 　　　℃	

ひな祭り、耳の日、桃の日

3 月 4 日㊍	天気	行事
	気温 　　　℃	

ミシンの日、バウムクーヘンの日

東京で親同然の存在となった洋食店店主の家族・商店街の人々など、人間関係に恵まれたみねこは、しっかりと成長していきます。多くの出会いを経て、高度成長期をひたむきに生きるみねこと彼女を取り巻く人々の温かなふれあいを描いた物語です。
●制作【作】岡田惠和【音楽】宮川彬良
【語り】増田明美【主題歌】桑田佳祐
●出演者：有村架純、沢村一樹、木村佳乃、
羽田美智子、柴田理恵、竹内涼真ほか

●エピソード
　平均視聴率も20％を超え、好評に終わった「ひょっこ」ですが、週刊ポストが2018年春に募った「ポスト読者300人が選ぶ朝ドラヒロイン」アンケート結果では主演の有村架純が堂々の1位となり、根強い人気を示しました。この作品で脚本の岡田惠和は2018年の橋田賞、有村架純は橋田賞新人賞を獲得しています。

3 月 5 日㊎	天気	行事	
	気温　　　℃		

啓蟄、珊瑚の日

3 月 6 日㊏	天気	行事	
	気温　　　℃		

スポーツ新聞創刊の日、下弦の月

郷土の料理「三五八床の作り方」

　栃木県は、全国有数の米産地ですが、今でも麹や味噌などを手づくりする農家が少なくありません。

　また、農村女性グループが加工所で製造する麹や三五八床が道の駅や農産物直売所などで年間を通して販売されています。

　古米や屑米などを麹に加工した際には、是非、三五八床を作ってみてはいかがでしょうか。

　漬ける野菜は大根やかぶ、人参、きゅうりなど、季節の野菜に漬床をまぶしつけるようにして漬けます。

　野菜が500gに対して、漬床50gを使うと塩分1％の漬物ができあがります。

　ちなみに、三五八床の名前の由来は、塩が全体の3割、麹が5割、米が8割の分量で作られることから、それが、漬床の名前になったと言われています。

【材料】

　塩：500ｇ

| 3 月 7 日㊐ | 天気 | 行事 |
| | 気温　　　℃ | |

消防記念日、メンチカツの日

| 3 月 8 日㊊ | 天気 | 行事 |
| | 気温　　　℃ | |

国際婦人デー、さやえんどうの日

麹：1kg
米：1.5kg

【作り方】
①米は洗い、一晩水に浸し、よく水を切って
　蒸す。
②蒸し上がった米のあら熱をとり、分量の麹、
　塩を入れてよく混ぜ合わせる。
③これらの材料を容器に入れ、押し蓋をし
　て重石をのせます。

④夏を越すと材料が熟成しておいしい漬床が
　出来上がります。

参考資料:栃木県農業者懇談会発行
「子や孫に伝えたい郷土の料理とちぎ」
　　　　（栃木県農業者懇談会　関亦　初枝）

3 月 9 日㊋	天気	行事	
	気温　　　℃		

3 月 10 日㊌	天気	行事	
	気温　　　℃		

シイタケ栽培に地場産原木を使うには

　原木露地シイタケは、専業で栽培される農家のほかにも、農家が自家用に栽培したり副収入にしたりと、日本の農山村ではどこででも見られる光景でした。しかし、福島原発事故以降、放射能に汚染された東日本の広い地域で原木シイタケの露地栽培が止まってしまいました。シイタケ栽培に利用する原木には、食品の基準値よりもきびしい50Bq/kgという指標値が決められたためです。

　茨城県内でも、今も原木しいたけの露地栽培

に出荷制限がかかっていたり、出荷を自粛している地域があります。出荷制限が解除された地域でも、やむなく放射能汚染を受けていない西日本から原木を取り寄せて利用しています。

　しかし、多くの原木シイタケ生産者が、自分の山で収穫した原木や県内で生産された地場産原木を利用したいと願っています。このような要望を背景に、シイタケ原木の主産地であった福島県阿武隈地方において、原発事故後に伐採更新されたコナラ萌芽林で、土壌と当年枝の放

3 月11日㊍	天気		行事	
	気温	℃		

---

3 月12日㊎	天気		行事	
	気温	℃		

財布の日

射性セシウムとの関係を調べました。

　土壌中に植物が吸収しやすいカリウムが多い
ほど、コナラ当年枝の放射性セシウム濃度が低
くなることが明らかになりました。田畑にカリ
ウムを施肥すると、農作物による放射性セシウ
ム吸収が抑えられます。同じように、自然の林
地でも土壌中のカリウムが多いほど、コナラ当
年枝の放射性セシウム濃度が低くなるのです。
この仕組みを利用して、土壌中にカリウムが多
い原木林を探しだせば、地元の山の原木での栽

培を早く再開することができると期待されま
す。

〔〔国研〕森林総合研究所　三浦　覚〕

3 月13日⊕	天気		行事	
	気温	℃		

新撰組の日、庚申、新月

3 月14日🈰	天気		行事	
	気温	℃		

ホワイトデー、さーたあんだぎーの日、二日灸

人寄せ行事には「ボラ雑炊（ボラ飯）」

　ボラは海水性ですが、幼少から成長期には汽水域や河口で群れて生育し、川面を泳いだり飛び跳ねたりするので、河川近くの人にとって日常に親しまれている魚です。またスバシリ、オボコ、イナ、ボラ、トドと言う様に成長度に合わせて名前が変化する出世魚でもあり、祝い魚とされる魚です。江戸時代の『勢陽五鈴遺響』に「古来より伊勢鯉、俗に名吉と称す」とありますが、結婚式や子供の成長の祝い、神社の真菜箸神事や盤の魚などで使用されます。またお

伊勢参りの御師のやかたでの食事でも料理されていたようです。

　三重県では伊勢湾に流れ込む多くの河川の中でも木曽三川の下流域にボラを使った郷土料理がたくさん見られます。今回はその一つ「ボラ雑炊（ボラ飯）」を紹介します。

　作り方は、ウロコと内臓、時には頭を除いてボラを水煮します。魚と煮汁に分け、魚は骨を除いて身だけにし、煮汁は米と千切り生姜、骨を除いた身と共になべに入れ、醤油、不足なら

3 月15日㈪	天気		行事	
	気温	℃		

靴の日

3 月16日㈫	天気		行事	
	気温	℃		

国立公園の日、財務の日

水を足して水加減し、炊飯します。沸騰したら2cm位にぶつ切りした葱をいれ、炊き上げます。葱が半なまで歯触りのある方が喜ばれます。ボラ雑炊という名前ですが、仕上がりは普通のご飯のようなので、ボラ飯とも言われます。

　これは地域の行事（草刈りや溝掃除などの町内の出会い、青年団や消防団の集まりなど）や家族親族の祝い事などの際に作られてきました。戦後の昭和34、35年頃から高度経済成長とともに工場排水の影響を受け、「臭いボラ」が多くなってボラを食べなくなったこと、また電気炊飯器が発達して操作が不便になったこと、人寄せ行事が減ったこと、など多くの要因が重なり、作られることが少なくなりました。しかし、工場対策が完成してから「臭いボラ」もいなくなり、再びボラの味を思い出してか、最近では人寄せ行事ではなく家庭単位で作られています。

（三重大学名誉教授　成田　美代）

3 月 17 日㈬	天気		行事
	気温	℃	

3 月 18 日㈭	天気		行事
	気温	℃	

ほうれんそう

　ほうれんそうから思い浮かぶのがポパイ。水兵服のポパイはパイプをくわえ、恋人のオリーヴとの仲もよい。不幸がおそいかかってくると、缶詰のほうれんそうを食べる。とたんに筋肉がもりもりとなって、向かうところ敵なし。だが、これはアニメ世界のこと。

菠薐草ポパイのように効いてこず　宮地テル女
ほうれん草食べても出ない力瘤　　山崎日出男
　「菠薐」とは、ほうれんそうの原産地、ペルシャのこととも、ネパールから唐に伝わったの

で、当時のネパールを指すともいわれるが定説はない。江戸時代に中国から長崎に伝わった。根が鮮紅色で、葉が細く、先がとがって切れ込みが深い東洋種と呼ばれるもの。

ホーレン草のお浸し民宿山に盛り　　斎藤忠志
　明治に入って丸葉で肉厚、とう立ちが遅く収量の多い西洋種がもたらされた。
　現在は、東洋種と西洋種の一代雑種の栽培が多いが、お浸しにすると格段の差があるという。甘味の強い東洋種がお浸しに好まれる。

3 月19日㊎	天気		行事	
	気温	℃		

....

....

....

....

....

....

3 月20日㊏	天気		行事	
	気温	℃		

🔴春分の日 　　　　　　　　　　　　　春分、彼岸中日、上野動物園開園記念日、旧針供養、旧こと始め

....

....

....

....

....

....

ほうれん草薬のようにすすめられ　　深野初胡

　緑黄色野菜の代表格がほうれんそう。カロチン、ビタミンB_1、B_2、C、それに鉄分は野菜の中でトップクラス。食物繊維も豊富で整腸作用を担っており、まさに栄養の宝庫だ。

ほうれん草の馬力が試されているな　　赤松ますみ

　ほうれん草に相当するものは何だろうか。職場での抜擢した椅子だったとしたら、その椅子にふさわしく、また推選してくれた人々の期待に応えるような結果をみせてやろう。

出来すぎて出荷を急ぐ菠薐草　　　　北　勝美
ほうれんそう高値採る手を弾ませる　岡田ゆきお

　生産者にとって値がよいときもあれば逆の時もある。これは、ほうれんそうに限らない。農業をめぐる環境の厳しさは年毎に増している。やりがいのある農業が広がってほしい。

春うれしほうれん草の胡麻よごし　　高市伊棹

（NHK学園川柳講師　橋爪まさのり）

3 月 21 日 ㊐	天気		行事
	気温	℃	

社日、上弦の月

3 月 22 日 ㊊	天気		行事
	気温	℃	

NHK 放送記念日、己巳

万能椎茸だし　調味料選手権2018で特別賞

　乾椎茸の生産量全国トップを誇る大分県で、豊後大野市の(株)茂理商店は、「調味料選手権2018」で特別賞を受賞しました。

　茂理商店は、東日本大震災以降の価格低迷や生産者の高齢化など、乾椎茸業界の苦境を打開しようと2013年から開発に着手。

　広島県の会社が持つ「瞬間高温高圧焼成加工」という技術で、乾椎茸特有の香りを香ばしさに変え、同じ加工を施した大分県産ゴボウと一緒に粉末化し、スティック状の包装で手軽さを追求しました。

　お湯を注いだらアッという間にスープができ、混ぜご飯やだし巻き卵、茶わん蒸しなど、煮物、鍋料理の隠し味として大活躍です。

　また、粉末だから和食、洋食、中華を問わず、どんな料理にもサッと一振りで味覚をグレードアップすること間違いなしです。

　大分県産椎茸の、うまみと風味を丸ごと粉末に閉じ込めた、「椎茸だしの素」を是非お試し下さい。

3 月23日㊋	天気		行事	
	気温	℃		

彼岸明け、世界気象デー

3 月24日㊌	天気		行事	
	気温	℃		

　また、2020年には、「椎茸パウダー」と共に「料理王国100選2020」に認定されています。

　　　　　　　　　　　　　（大分農林統計ОB会　事務局長

　　　　　　　　　　　　　　　　　　　　立石　昭道）

3 月 25 日㊍	天気		行事	
	気温	℃		

3 月 26 日㊎	天気		行事	
	気温	℃		

水田輪作の湿害回避には適地適作を心がけよう

　水稲栽培では水田の水もちが良いと管理作業が容易ですが、水田輪作を導入して大豆や麦などを栽培する際に土中の水が多すぎると、出芽不良や生育不良などの「湿害」が発生します。耕盤を破壊すれば排水性は高まりますが、水稲に戻す際に耕盤が無いとトラクター等の農業機械の作業性は著しく低下します。このため、水田輪作で湿害を回避するためには耕盤を破壊しない排水対策が必要です。

　これまで、圃場整備などの際に暗渠が施工さ

れてきましたが、長い年月が経過した圃場では、目詰まり等により排水能力が低下します。再施工が期待できない圃場では、額縁明渠や弾丸暗渠など普段の営農活動で講ずる排水対策を、丁寧に励行することが重要です。

　また、慣行としてロータリ耕が用いられてきましたが、耕起法を変えることも有効です。例えば、チゼルプラウ耕は作業速度を上げても砕土性の低下が少なく、弾丸暗渠と組み合わせることで排水性を高めることが期待できます。

3 月27日㊏	天気	行事	
	気温　　　　℃		

さくらの日

3 月28日㊐	天気	行事	
	気温　　　　℃		

　　しかし、充分な排水対策を施した圃場でも湿害が生じることがあります。これには、圃場が位置している場所と過去の地形が関係することがあります。例えば、昔は水路や川だった場所を埋め立てて造成した圃場では、今もなお水を集めやすい特徴を残しており、周囲よりも高い地下水位のために排水性が悪く、作土層が恒常的に過湿になりやすいことがあります。集落営農で作付け計画を立てる際に、可能な限り適地適作となるよう心がけることが収益の向上へと

繋がります。

（農研機構　西日本農業研究センター
　　　　　　　　　　　　　　清水　裕太）

3 月29日㊊	天気		行事	
	気温	℃		

作業服の日、満月

3 月30日㊋	天気		行事	
	気温	℃		

自慢のいちご「やよいひめ」〜美味しく日持ちがいいのが自慢〜

　群馬県の代表的一押しブランド「やよいひめ（群馬県育成品種）」は、群馬県が育成した「とねほっぺ」と栃木県が育成した「とちおとめ」を交配した群馬県オリジナル品種で、平成8年に品種改良に着手し、平成11年から現地試験を実施、平成17年に品種登録されました。

　その名のとおり、他品種の品質が低下しやすい「3月（弥生）」以降も安定した品質を保てること、また、歴史的に「弥生」は農耕文化の発祥を意味し、この品種が群馬県いちごの生産

の原点・原動力となることを願って命名されました。

　群馬県内のいちごの作付けは、「やよいひめ」が現在では約7割を占めています。

　特性は、大粒・糖度が高くまろやかな酸味・上品な鮮紅色（果肉全体の色が徐々に濃くなる特徴を持ち、暖かくなる3月以降も果実の色が黒ずまない）・果肉がしっかりしていて、日持ちが良い・輸送性が高いなどです。

　藤岡地域におけるいちご栽培の歴史は古く、

3 月31日㈬	天気	行事
	気温　　　　℃	

教育基本法・学校教育法公布記念日、年度末、天赦日

コラム

「R」の付かない月は、カキは食べてはいけない？

カキは冬の代表的な味覚です。日本だけではなく、欧米でも大変人気があります。そこでなぜ言われるのか、Rの付かない月（5～8月）はカキを食べてはいけないというもの。

確かに、日本でも夏の時期はスーパーマーケットなどでカキは見かけなくなります。

夏の時期にカキを食べないのには理由があります。①夏場はカキが腐りやすいから。②この時期のカキは食べておいしくないから。

カキは雌雄同体で、1つのカキが雄になったり雌になったりします。その産卵時期は初夏で、そのあとは産卵を終えて身がやせてしまい、おいしくありません。

それに比べて冬のカキは、卵や精子も発達して丸々と太り、味が良くなります。だから冬場のカキはうまいのです。

昭和30年代のトンネル栽培に始まり（品種はダナー）、昭和40年代にハウス栽培に移行、「やよいひめ」が出現するまでの品種は女峰が主体でした。

最盛期に比べ栽培農家は減少したものの、12月～6月いっぱいにかけて市場（一部直売）を中心に出荷しています。

群馬県オリジナル品種「やよいひめ」を見かけた折には、是非ともご賞味頂きたいと思います。

（農林統計協会　賛助会員　樋口　英夫）

空腹時の運動は危険

海外の映像などを見ていると、公園を気持ちよくジョギングしている様子が、深い緑をバックに映し出されます。最近は日本でも健康を意識して、早朝に近所をジョギングしたりウォーキングしたりする人が増えました。

軽い運動を毎日の日課として続けていくことは、体力に維持やアンチエイジングのために素晴らしい習慣なのですが、注意しておきたいのは、空腹時の運動です。

朝食前のジョギングは、体内の脂肪を燃焼しやすい時間に運動をすることになります。したがってダイエットを目的にしているのであれば、理にかなった運動といえるでしょう。

しかし同時に、長時間にわたって食事を摂っていない朝食前の運動は、体が糖質不足の状態になっているので、めまいなどを引き起こす原因にもなってしまいます。

せっかく体を健康にするために行っている運動で怪我などしたら、本末転倒になってしまいます。ですので、走る前には胃腸に負担の少ない高栄養価の食べ物を摂取して、糖質不足を補っておきましょう。

具体的には、手間がかからず手軽にエネルギー補給ができる「バナナ」や「リンゴ」などのフルーツがおすすめです。

朝のジョギングやウォーキングは大変良い習慣です。体を動かすことは、アンチエイジングのために重要なことです。運動量の目安としては「軽く汗をかく程度」を基準にすると良いでしょう。

運動を続けていくコツとして、最初から高い目標を立てないことが大切です。キッチリした目標を設定すると、それがかえってストレスになってしまい、継続できなくなってしまいます。自分で楽に行えるところから始めて、少しずつ時間や距離を増やしてみてはいかがでしょうか。

参考図書「あなたの健康常識は間違っている やってはいけない」㈱アントレックス

食後すぐの歯磨きはよくない

歯磨きの重要性は広く知れ渡り、巷のOLさんに限らず、朝食・昼食・夕食後に欠かさず歯を磨くことは、かなり一般的になってきました。中には携帯用の電動歯ブラシを持ち歩いている人もいるそうだ。

しかし、食後すぐの歯磨きは控えた方が良い、という専門家の見解があります。

食後間もない時間の口腔内は、実は食べ物の酸や糖分で酸性に傾いている場合が多いのです。この時、歯のエナメル質は弱まっている状態にあります。このとき、すぐに歯ブラシを使って歯の表面をこすると、歯の表面を傷つけてしまうことになりかねません。傷ついたところは虫歯の原因になる可能性がでてきます。

それでは、食後どのくらいの時間が経過すれば歯を磨いても問題が無いのでしょうか。それは、酸性に傾いた口腔内が再び元の中性に戻るまでの時間であり、およそ30～40分くらいを目安にして、それ以降に歯を磨くようにして下さい。

この時に歯の保全の役割を担ってくれるのが「唾液」です。唾液は口の中が酸性に傾いていくのを防ぐ作用があるほか、虫歯を予防する効果もあります。これは唾液に含まれているミネラルが、歯の石灰質を修復する側をがあるからです。唾液は歯磨き同様、虫歯予防の役目を果たしています。

歯を健康に保つことは、特に高齢者では認知症予防の観点からも大変重要です。自分の歯が少ない人ほど、認知症になりやすい傾向があると示唆されています

正しい歯磨きの習慣を身に着けることで、健康的に年を重ねていきましょう。

参考図書「あなたの健康常識は間違っている やってはいけない」㈱アントレックス

うなごうじ祭り（若葉祭）
（愛知県豊川市牛久保町）

4月

April

●節気・行事●

清　　　明	4日
花まつり	8日
土　　　用	17日
穀　　　雨	20日
昭和の日	29日

●月　　　相●

○満　　月　27日
●新　　月　12日

4月の花き・園芸作業等

花　き

　ペチュニア、キンギョソウ、マリーゴールド、ジニアなど春播き二年草の播種。カモマイル・ポリジなどのハーブ類の播種。キク、リンドウなど宿根草の挿し木。観葉植物の株分けと鉢替え。芝の植付けと追肥。ツバキなど常緑樹の接木。ユキヤナギなど春咲き花木の花後の剪定。

野　菜

　セルリ、パセリの冷床播種。春まき結球ハクサイ、早生ダイコン、ニンジン、ゴボウ、トウモロコシ、スイカ、インゲン、ササゲ、シュンギク、ホウレンソウ、葉ネギの播種。キュウリ、カボチャ、ナス、トマト、キャベツ、フジマメの移植。春まきキャベツの露地床移植。インゲン、トウガンの定植。春まきダイコン、菜類の追肥。ソラマメ、カボチャの摘芯。春まき菜類、軟化野菜類の収穫。

果　樹

　リンゴの元肥施用。ブドウ、モモの摘芽。ビワの摘果。リンゴ、ミカン類、クリの接ぎ木。ビワ、ミカン類、リンゴの定植。モモ、ナシ、スモモの受粉媒助。ナシ、ブドウ、カキの病害虫防除。果樹園の除草。

4月 暦と行事予定表

	節　気　・　行　事	予　　　定
1 （木）	新学年、新財政年度、エイプリルフール	
2 （金）	週刊誌の日、CO_2削減の日	
3 （土）		
4 （日）	清明、あんぱんの日、下弦の月	
5 （月）		
6 （火）	春の全国交通安全運動（15日まで）	
7 （水）	世界保健デー	
8 （木）	花まつり、灌仏会	
9 （金）	食と野菜ソムリエの日	
10 （土）	女性の日、教科書の日	
11 （日）	メートル法公布記念日	
12 （月）	世界宇宙旅行の日、新月	
13 （火）	科学技術週間（19日まで）	
14 （水）	椅子の日	
15 （木）	ヘリコプターの日、みどりの月間（5月14日まで）	
16 （金）		
17 （土）	土用、なすびの日	
18 （日）	発明の日	
19 （月）	地図の日	
20 （火）	穀雨、郵政記念日（逓信記念日）（4月26日まで）	
21 （水）	放送広告の日	
22 （木）	アースデー	
23 （金）	サンジョルディの日、世界本の日	
24 （土）		
25 （日）		
26 （月）		
27 （火）	国際盲導犬の日、満月	
28 （水）	サンフランシスコ講和条約発効日、庭の日	
29 （木）	◉昭和の日、畳の日	
30 （金）	図書館記念日	

緑肥を作ろう

4月の野菜づくり

　緑肥は青刈りして土壌にすき込み、土壌を改善する目的で栽培される「緑の肥料」です。また、緑肥の活用で土壌が原因となるさまざまな問題を解決できます。

緑肥の効果

　有機物が微生物に分解されて腐植が作られ、団粒構造の形成、透水性の向上で野菜の根の環境が改善されます。マメ科の緑肥は根粒菌によって空気中のチッソを固定し、土壌が肥沃となります。また、有害センチュウを抑制する緑肥もあります。

利用法

　春まきではイネ科のソルガム、ギニアグラスなどは5月頃に種まきして生育させ、8月に茎葉を耕耘機ですき込み、その後2～3回すき込んで分解させます。9月にキャベツ、ブロッコリー、ハクサイを植え付けます。

　秋まきでは、裸地になることを防ぐイネ科のエンバク、ライ麦、また、マメ科のクローバーは、翌年花を楽しんだ後にすき込みます。イネ科緑肥は草丈が伸びるため、土作り効果

以外にも害虫の飛来阻止、風よけなどの障壁効果も期待できます。

表　緑肥の種類

栽培方法	科　名	品　目	おもな品種
春まき	イネ科	エンバク野生種	緑肥ヘイオーツ
			ニューオーツ
		スーダングラス	ベールスーダン
			ねまへらそう
		ソルガム	つちたろう
			元気ソルゴー
		ギニアグラス	ナツカゼ
			ソイルクリーン
	マメ科	クロタラリア	コブトリソウ
			ネマクリーン
		ヘアリーベッチ	藤えもん
		セスバニア	田助
秋まき	イネ科	エンバク野生種	緑肥ヘイオーツ
			ニューオーツ
		ライ麦	R－007
			緑肥用クリーン
	マメ科	クローバー	くれない
			フィア
		ヘアリーベッチ	藤えもん

（神奈川県種苗協同組合　成松　次郎）

漢方薬 選びのポイント

漢方

　「漢方薬を飲んでみたい」「持病の治療に漢方薬を取り入れてみたい」

　そんな時は、どうしたらいいでしょうか？

　医師の8割が治療に漢方薬を活用している現在、治療中ならば、医師にそのむね伝えれば、多くの場合、処方してもらえます。

　処方される医療用漢方製剤は漢方薬を煎じたエキスを製剤化したもので、顆粒や錠剤、カプセル剤などのかたちで提供されます。多くの場合、健康保険が適用されます。

　病気とは言えないまでも、気になる症状があったり、体質改善や慢性疾患を和らげたい場合は、近所のドラッグストアで相談すれば、当帰芍薬散（冷えに効く）や補中益気湯（倦怠感を和らげる）、小青竜湯（アレルギー性鼻炎を抑える）などの、メジャーな漢方薬はほぼ入手することができることでしょう。

　ですが、漢方薬はもともと個別に診断し、処方されるのが正式な治療のあり方。早く改善

するためにも、漢方を学んだ医師や薬剤師のもと、ご自分の体質や症状に合わせた薬を購入することをおすすめします。

　こうした専門家を見つける際には、医師ならば「中医」や「東洋医学」「漢方」という言葉が目安になります。ホームページや看板などで、これらの言葉を使っている病院やクリニックを探してみましょう。

　薬局ならば、ズバリ「漢方薬」という言葉が使われ、「漢方薬局」と表記されています。

　効果が現れるまでの時間は、体質改善や慢性疾患改善の場合は特にばらつきがありますから、指示された分量を、毎日、根気よく飲み続けることが大切。

　目安としては、1～2か月から半年ぐらいの服用が必要と言われています。

（ライター　千羽　ひとみ）

4 月 1 日㊍	天気		行事	
	気温	℃		

新学年、新財政年度、エイプリルフール

4 月 2 日㊎	天気		行事	
	気温	℃		

週刊誌の日、CO_2 削減の日

郷土料理の「豆腐田楽」

　岩手県は豆腐の消費量が全国一と言われています。

　豆腐田楽は全国各地で作られていますが、元祖といえるのが岩手の郷土食の豆腐田楽です。

　岩手の県北地方は「ヤマセ」といわれる冷夏で雑穀しか栽培できず、県北地方を中心に昔から郷土料理として作り続けられている料理が豆腐田楽です。

【材料】
　豆腐、にんにく、味噌、お酒

【作り方】
①豆腐はニガリを多めに入れて硬めに作り、厚さ２cm、幅５cm、長さ15cm位の短冊型に切り、竹串を刺します。
②にんにくをすり下ろし、味噌と酒を加えて、よく練り上げます。
③①の豆腐を炭火で焦げ目がつくまで両面を焼

4 月 3 日㊏	天気	行事
	気温　　　　℃	

4 月 4 日㊐	天気	行事
	気温　　　　℃	

清明、あんぱんの日、下弦の月

き上げ、②のにんにく味噌を塗り、再び焼き
ます。

【食べ方】
①家庭で作り、子供達のおやつや食事のおかず、
　酒のつまみなど、いろいろな食べ方をしてい
　ます。大根おろしとあわせて食べると消化が
　良いと言われています。
②地域の食堂や産地直売等で、手打ち蕎麦やお
　茶もち、焼きだんごなど、お菓子等と併せて

販売もしています

（岩手農林統計ＯＢ会　佐藤　進）

4 月 5 日㊊	天気		行事	
	気温	℃		

4 月 6 日㊋	天気		行事	
	気温	℃		

緑肥を利用した土づくりと減肥

　ほ場へのたい肥施用量が年々減少する中、有機物などを用いた土づくりへの関心が高まっています。また、化学肥料は価格が高いため、減肥技術の開発も求められています。緑肥は、施用の労力や輸送コストの面で有利な有機物で、古くから作物の肥料として栽培されてきました。そのため、今、土づくりと減肥のために緑肥の活用が期待されています。

　緑肥は、土壌に有機物を補給し団粒化を促すなど、土づくりに役立ちます。また、マメ科緑肥の窒素固定やイネ科緑肥などによる溶脱養分の吸い上げ、養分吸収を助ける微生物の増殖効果などにより、減肥に役立ちます。そのほか、有害生物の制御や土壌侵食の防止などにも効果があります。

　一般に肥料効果は、窒素濃度が高く分解しやすいほど顕著なため、イネ科よりマメ科の緑肥で高く、すき込み時期が早いほど高い傾向です。一方、土づくりに役立つ有機物蓄積効果はマメ科よりイネ科で大きく、すき込み時期が遅い方

4 月 7 日㊌	天気	行事
	気温　　　　℃	

世界保健デー

4 月 8 日㊍	天気	行事
	気温　　　　℃	

花まつり、灌仏会

が有利です。ただ、すき込みが遅れると肥料効果の減少や窒素の取り込みによる窒素飢餓のおそれがあるほか、作業性も悪くなるため、適期のすき込みが重要です。

　すき込みから作物の植え付けまでの期間も重要で、その間の腐熟期間が短すぎると、植え傷みが起きる可能性があります。腐熟期間が長すぎると、緑肥に含まれる養分が流亡し、減肥の効果が小さくなることがあります。

　詳細については、「緑肥利用マニュアル」を

農研機構HPで公開中です。

（農研機構　中央農業研究センター

　　　　　　　　　唐澤　敏彦）

4 月 9 日㊎	天気	行事	
	気温　　　℃		

食と野菜ソムリエの日

4 月10日㊏	天気	行事	
	気温　　　℃		

女性の日、教科書の日

露地栽培イチゴ新品種「東京おひさまベリー」

　イチゴの生産は施設で冬から春にかけて収穫する促成栽培が主流ですが、東京都内では、本来の旬である4月末から5月下旬に消費者が露地の畑から直接収穫する株売り方式や摘み取り農園方式の生産も行われています。

　従来から栽培されている露地イチゴ栽培の主要な品種「宝交早生」は、収穫できる果実数が多く収量性が高い品種ですが、収穫期後半になると果実が小さくなる傾向があります。酸味が弱く食味も良好ですが、果皮・果肉ともに軟ら

かいため、雨に当たるとすぐに傷んでしまうといった問題がありました。

　そこで、公益財団法人東京都農林水産振興財団農林総合研究センターでは、維持系統間の交配により、果実が傷みにくいなどの特徴を持つ、露地栽培に適した新しい品種「東京おひさまベリー（2019年3月品種登録）」を育成しました。

　「東京おひさまベリー」は、従来の露地栽培用品種と比べて果実が大きく光沢があり、果皮や果肉がよりしっかりしているため、取扱いが

4 月11日㊐	天気		行事
	気温	℃	

メートル法公布記念日

4 月12日㊊	天気		行事
	気温	℃	

世界宇宙旅行の日、新月

比較的容易です。また、果実は甘くてほど良い酸味があり、果肉まで赤く、フローラルな香りが感じられます。

　東京都では、「東京おひさまベリー」を広く皆様に親しんでいただくため、「おひさまいっぱい　旬にいただくイチゴです」というキャッチコピーとロゴマークとともに普及を進めていきます。

「東京おひさまベリー」
（東京都公式ホームページ）
https://www.sangyo-rodo.metro.tokyo.lg.jp/
nourin/nougyou/shinkou/ohisama/

（東京都農業振興課）

4 月 13 日㈫	天気		行事	
	気温	℃		

科学技術週間

4 月 14 日㈬	天気		行事	
	気温	℃		

椅子の日

チューリップ

整列をして春を待つチューリップ　今川　乱魚

　球根植物のチューリップは、前年の秋に球根が植えつけられ、4月の開花にむけて越冬する。開花が済めば花を切りすて、薬剤を撒布し、葉の黄変する頃に球根を掘り出し陰干しする。10月には植つけられて春を待つ。

来年の春まで永いチューリップ　秋田　周歩

　多くの花は「花ことば」を持っている。チューリップは全体としては思いやりだが、黄色はむなしい愛、白は失恋、赤は愛の告白、紫は永遠の愛、まだらは魅惑をと多彩である。

チューリップ一本買ってホイサッサ　早良　菜

　チューリップ一本を楽しい気分で買ったのは、これからデートする彼女へのプレゼントと想像すると、色は赤か紫か、あるいはまだらか。少しおどけた足取りの軽さも恋は発展途上にあるからだろう。

チューリップ揺れ童謡が聞こえそう　神谷三八朗

　『咲いた咲いたチューリップの花が／並んだならんだ赤白黄色／どの花みてもきれいだ

- 74 -

4 月15日㊍	天気	行事
	気温　　　　℃	

ヘリコプターの日、みどりの月間（5月14日まで）

4 月16日㊎	天気	行事
	気温　　　　℃	

な』と子供の頃うたった唄を口ずさみたくなる
のもチューリップの魅力である。
みんな素直に定型のチューリップ　　渡辺　梢
園の色春色にしてチューリップ　　佐野　旭
　チューリップは江戸時代の末にフランスから
日本にもたらされたとするが、一般に栽培され
るようになったのは明治37、38年の日露戦争の
頃からといわれる。
　各地にチューリップ畑が設けられ、何千本何
万本のチューリップの開花は春の観光スポット
になっている。
開くのは三分でいいよチューリップ　佐伯マリ子
　花が過ぎると散りだすが、花びらが大きいだ
けに美しさの損なわれ方が痛々しく映える。
春はいいもの頑張っているチューリップ
　　　　　　　　　　　　　　　　太田扶美代

（NHK学園川柳講師　橋爪まさのり）

4 月 17 日（土）	天気	行事
	気温　　　　℃	

土用、なすびの日

---

4 月 18 日（日）	天気	行事
	気温　　　　℃	

発明の日

地域の宝「小笹うるい」

　「小笹うるい」は、明治20年代後半に、山形県上山市東地区の山中で採れたうるいを里に持ち帰って栽培したのが始まりとされ、株分けをしながら代々受け継がれ、約130年の歴史があります。その地名から「小笹うるい」と名付けられ、現在も原種を引き継いでいることから、2008年山形県の「村山伝統野菜」に認定。2019年3月20日には山形県で5件目となるGI（地理的表示保護制度）登録され、ブランド化による知名度向上、販路拡大を目指しています。

　自生するうるいと比べて、白い茎の部分が長く太いのが特徴。また、ぬめりが強くシャキシャキとした食感が人気です。ブランド価値を守るため、JAやまがた小笹うるい部会が、土地や風土がうるいに適した地域に限定して栽培し、高品質なものを生産しています。ハウスでの促成栽培が1月下旬から3月下旬まで、露地栽培が4月中旬から5月下旬頃に首都圏や山形県内の市場に出荷されています。

　「小笹うるい」は山菜特有のえぐみが少ない

4 月19日㈪	天気	行事	
	気温　　　℃		

4 月20日㈫	天気	行事	
	気温　　　℃		

ので生でも食べやすく、さまざまな食材とも相性抜群。おひたしで食べる他、酢味噌和え、肉巻、煮物、みそ汁、緑色の葉の部分はてんぷらにしても美味しく、料理のレパートリーは豊富。

また、同部会では上山市と連携し、毎年、市内小中学校の学校給食へも提供しており、子ども達へ地域の特産物を伝え、地産地消への理解、地元への愛着を深める取り組みも行っています。

寒い冬を越えて育った「小笹うるい」は葉物の少ない時期に食卓を飾り、春の息吹を届けてくれる貴重な存在です。

（ＪＡやまがた　河合　美千代）

4 月21日㊌	天気		行事
	気温	℃	

放送広告の日

4 月22日㊍	天気		行事
	気温	℃	

アースデー

今も心に残る連続テレビ小説ランキング④

視聴者投票の第4位は「カーネーション」。

日本の洋装文化をけん引したデザイナー、コシノ三姉妹の母・小篠綾子をモデルに、新しい女性像を描いた作品。パワフルな大阪庶民の暮らしもリアルに表現されています。

世界的に活躍するコシノヒロコ、ジュンコ、ミチコの「コシノ三姉妹」を育てた母アヤコさんの半生が共感を呼ぶ話題作。

ヒロインの成長物語であると同時に、連ドラには珍しくラブストーリーの要素が加味され、ひと味違った展開に。主役の糸子と妻子ある男性の切ない恋は、視聴者の大きな関心を呼びました。その文学性が評価され、朝ドラとしては初めてギャラクシー賞テレビ部門の大賞を受賞した作品でもあります。

●**ものがたり**

大阪の岸和田で呉服屋の長女として生まれた糸子は、戦後アメリカから入ってきたドレスの美しさに魅了され、洋装の素晴らしさに目覚め

4 月23日㊎	天気	行事	
	気温　　　℃		

4 月24日㊏	天気	行事	
	気温　　　℃		

ます。父の猛反対にもめげず、ミシンを学んで20歳の時にはで自分の店をオープン。テーラーの夫は戦死しますが、女手ひとつで３人の娘を立派に育て上げ、国際的なデザイナイーとして独立させます。いくつになってもパワフルで前向きな主人公の生き方に、共感する中高年が多い作品でした。
●制作【作】渡辺あや【音楽】佐藤直紀
【主題歌】椎名林檎【出演】尾野真千子、夏木マリ、二宮 星、栗山千明、新山千春、安田美沙子、綾野 剛、星田英利、濱田マリほか
●エピソード
　主役の糸子を演じた尾野真千子さんは、出演当時29歳で歴代ヒロインと比べるとキャリアは充分。確かな演技力で作品をリードしました。そのほか、濱田マリや星田英利など本場の大阪弁を話せる俳優の登用でリアリティもアップ。凝ったカメラワークで「まるで文学作品のよう」という評価を得ました。

4 月25日（日）	天気	行事	
	気温　　　　℃		

4 月26日（月）	天気	行事	
	気温　　　　℃		

お米の粉と黒砂糖で作った「からすみ」〜桃の節句、子供の「がんどうち」に配っていた〜

　山国、岐阜県中津川市、恵那市（東濃地方）の辺りでは、桃の節句が近づくと和菓子屋の店先に「からすみ」が並ぶようになります。

　そして、今でも家庭で「からすみ」を作っている家があります。

　山里の春は遅い。古くは、4月3日の桃の節句が訪れると、子供たちが「おひな様見せて」「がんどうってくんさい」と言って雛飾りの家々を回ったものです。そこでは、各家庭で作られた「からすみ」を切り分けて、子供たちの紙袋に分け

てやっていたものです。

　もともとは、塩の道を通じてわずかに入ってくるボラの卵から作られるカラスミを、桃の節句の縁起物としていましたが、ここ東濃地方は、中山道が美濃から馬篭を通じて木曽路への入り口で、海から遠く離れた奥地であるため、一般には手に入りにくく、各家庭では米の粉と黒砂糖で作り代用してきたものです。

　また江戸時代、苗木城遠山藩主が戦時の非常食に、お米を加工品にして携帯食品にした等…

4 月27日㊋	天気		行事	
	気温	℃		

国際盲導犬の日、満月

4 月28日㊌	天気		行事	
	気温	℃		

サンフランシスコ講和条約発効日、庭の日

言い伝えられてもいます。

　今では、これをもとに、クルミやヨモギ、栗、白、黒など主に季節の様々な素材を混ぜ込んだのが、お菓子のカラスミであります。1年を通して作られているのは、数軒にしか過ぎません。

　ここ「佐和家」の「からすみ」は、からすみ作りの名人で町中の評判になっていたことから、大正5年に商品化したのです。

　現在も、名人的技術の極致で作り出す当時そのままの製法を守り、手練り手造りで1本1本作り出した飾り気のない素朴な味、心に深く残る味です。

　毎日、手作業で作られた「からすみ」が店に並び、地方発送もしてくれます。

注：「がんどうち」は、子供たちがお雛さまを見て、お供えの菓子を貰いに行くこと。

4 月29日㊍	天気	行事
	気温 　　　℃	

＂●昭和の日　　畳の日

4 月30日㊎	天気	行事
	気温 　　　℃	

図書館記念日

【お問い合わせ】
伝統銘菓 佐和家　店長：中谷一郎
本店：岐阜県中津川市太田町 3 - 5 - 30
福岡店：岐阜県中津川市福岡1225 - 33
℡0573・72・2454
（元岐阜農林統計協会　事務局長
平田　忠彦）

大凧合戦
（愛媛県五十崎町）

●節気・行事●

メーデー	1日
八十八夜	1日
憲法記念日	3日
みどりの日	4日
こどもの日	5日
端午の節句	5日
立　夏	5日
母　の　日	9日
小　満	21日

●月　　相●

○満　月	26日
●新　月	12日

5月の花き・園芸作業等

花　　き

　アサガオ、サルビア、マツバボタン、ホウセンカなど熱帯産春播き一年草の播種。オダマキ、ナデシコ、キキョウなど宿根草の播種。洋蘭類の株分けと鉢替え。東洋蘭の株分けと鉢替え。観葉植物の株分け、挿し木、鉢替え。ツツジ、シャクナゲの花後の剪定。マツのみどり摘み。

野　　菜

　ミツバの直まき。露地キュウリ、パセリ、セロリの移植。豆類の支柱立て。ゴボウの間引き。ジャガイモの土寄せ。果菜類の摘芯、摘芽。果菜類の病害虫防除。早熟栽培のキュウリ、トマト、ナスの収穫。

果　　樹

　リンゴの人工受粉。リンゴ、モモ、ナシの摘果。ブドウの摘芽、摘梢。リンゴ、ナシの袋かけ。ブドウの誘引。リンゴ、モモの病害虫防除。草生園の草刈り。

5月 暦と行事予定表

	節 気 ・ 行 事	予　　　定
1 (土)	八十八夜、メーデー、日本赤十字社創立記念日	
2 (日)	緑茶の日	
3 (月)	◉憲法記念日	
4 (火)	◉みどりの日、しらすの日、下弦の月	
5 (水)	◉こどもの日、端午の節句、立夏、レゴの日	
6 (木)	コロッケの日	
7 (金)	コナモンの日	
8 (土)	世界赤十字デー	
9 (日)	母の日、アイスクリームの日	
10 (月)	愛鳥週間、地質の日	
11 (火)		
12 (水)	看護の日、庚申、新月	
13 (木)		
14 (金)	種痘記念日、合板の日	
15 (土)	沖縄本土復帰記念日	
16 (日)	旅の日、甲子	
17 (月)	世界電気通信記念日、高血圧の日	
18 (火)	国際親善デー	
19 (水)	ボクシング記念日	
20 (木)	ローマ字の日、土用明け	
21 (金)	小満、己巳	
22 (土)		
23 (日)	kissデー	
24 (月)	伊達巻の日	
25 (火)		
26 (水)	満月	
27 (木)	小松菜の日	
28 (金)	ゴルフ記念日	
29 (土)	こんにゃくの日	
30 (日)	ゴミゼロの日、消費者の日	
31 (月)	世界禁煙デー	

肥料の働きを知る

同じ畑で野菜をつくると次第に養分が足りなくなるので、肥料による補給が必要です。

●肥料の要素

肥料の最も大切な成分はチッソ、リン酸、カリの3要素。チッソは「葉肥」といわれ、葉や茎を育て、リン酸は「実肥」といわれ花や実のつきをよくし、カリは「根肥」といわれ根を発達させます。これにカルシウム（石灰）とマグネシウム（苦土）を加えたものを5要素と呼びます。カルシウムは植物の組織を丈夫にし、酵素の働きを助けるほか、畑の酸度の中和や土の団粒化、土壌微生物の活性化などに役立ちます。マグネシウムは葉緑素の成分なので、不足すると葉の黄化が起こります。そこで、カルシウムとマグネシウムは常に元肥に加えておくことが大切です。

鉄やマンガンなどの微量要素が欠乏すると生育に障害がでることもあります。土づくりに堆肥を施せば適量の微量要素を含むため、微量要素肥料を施す必要はありません。

●肥料の吸収

肥料の成分は、一般に水に溶けた状態で根から吸収されます。大きくなる野菜は、生長が進むに従い多くの養分が必要なため、追肥をします。肥料が不足すると生育は悪くなり、多すぎると根の周りの肥料濃度が高くなり根が傷んでしまいます。このような濃度障害は速効性の化成肥料に起きやすく、緩効性の化学肥料や有機質肥料は濃度障害が起こりにくいものです。しかし、どの肥料でも過剰な量は障害を起こすため、過不足なく肥料を与えることが大切です。

（神奈川県種苗協同組合　成松　次郎）

漢方

知っておきたい漢方薬　その1
カゼ（感冒）によく効く漢方薬

漢方薬はしばしば、「同病異治・異病同治」と言われます。文字通り、「同じ病気であっても違う薬が用いられ、異なる病気であっても同じ薬が用いて直す」という意味です。

たとえば慢性の下痢と鼻水・鼻づまりというまったく異なる症状に、六君子湯という薬が使われることがあります。専門家が「気・血・水」を診て、水の不調、すなわち体内にある血液以外の水分の不調が下痢や鼻水・鼻づまりを引き起こしていると診断すれば、異病異治で同じ薬が処方されるわけです。

カゼの症状には葛根湯が有名ですが、これは「寒」タイプのカゼ、すなわち寒気がし、背中がゾクゾクするような時など、カゼのひき始めに服用すべき漢方薬です。葛根や大棗、麻黄や甘草、桂皮、芍薬、生姜など、身体を温める作用をする生薬を使うことで、熱で体内の細菌を殺し、快復を計りますが、体力や抵抗力がある人に処方される漢方薬です。

同じカゼでも、のどが腫れ、粘っこい痰が出たり顔が赤い場合は「熱」のタイプのカゼとされ、熱を発散させる金銀化や連翹、桔梗や甘草、薄荷や淡豆豉などが配合された銀翹散や桑菊飲などが最適です。ちなみに銀翹散は抗ウイルス作用があるため、インフルエンザにも効果があるとされています。

カゼが下痢や吐き気にきた場合は、「湿」のタイプのカゼで、生命エネルギーであるところの「気」が弱っている状態です。

胃腸の働きを整えて栄養を取り、体力を回復させて気を充実させる効果がある蒼朮、人参、麦門冬湯、陳皮や当帰、黄柏や甘草、五味子が成分の、清暑益気湯や藿香正気散が処方されます。漢方では、それぞれの状態にぴったりあった薬を選ぶことが大切なのです。

（ライター　千羽　ひとみ）

5 月 1 日㊏	天気		行事	
	気温	℃		

八十八夜、メーデー、日本赤十字社創立記念日

5 月 2 日㊐	天気		行事	
	気温	℃		

緑茶の日

木の下で雨宿りできるのはなぜ？　～森林の遮断蒸発現象～

雨が降ってきたとき、木の下で雨宿りをした経験はありますか？　森林に降った雨の内、ある部分は葉や枝、幹に接触して大気中に蒸発してしまいます。この現象を「遮断蒸発」と呼んでいます。残りは雨粒として地面に到達するほか、幹の表面を伝って根元に流れ込みます。地面まで降ってきた雨粒を「樹冠通過雨」、幹の表面を流れる雨水を「樹幹流」と呼んでいます。

雨が降り始めた時、乾いている葉や枝、幹は雨水を付着させて一時的に貯えることができま

す。つまり、雨宿りができる状況です。

しかし、雨が降り続いてそれらがすっかり濡れてしまうと、雨水を貯えることができなくなり、雨水が樹冠通過雨や樹幹流として地面まで到達するようになります。この状態になると、もはや雨宿りはできないでしょう。

スギ林やヒノキ林の遮断蒸発量は雨の２～３割にも相当することが分かっています。森林から川へ流出する水の量は雨の約５割であることを考えると、遮断蒸発量はかなり大量であるこ

5 月 3 日 ㊊	天気		行事	
	気温	℃		

▣憲法記念日

---

5 月 4 日 ㊋	天気		行事	
	気温	℃		

▣みどりの日　　　　　　　　　　　　　　　　　　　　しらすの日、下弦の月

とが分かります。ところで、水を蒸発させるためにはエネルギーが必要です。雨天時の日射エネルギーは少なく、湿度も高いために、葉や枝、幹に付着した雨水は蒸発しにくいはずです。曇天時に洗濯物を干しても乾きにくいことと同様の理由です。それにも関わらず、森林での詳しい計測結果から、大量の遮断蒸発量が発生していることが科学的に確認されています。

大量の遮断蒸発量が生じる謎を解明して、森林が有する水源涵養機能の向上や、洪水あるいは土砂崩れなどの災害防止に役立てるために、現在も研究が続けられています。

（〔国研〕森林総合研究所　飯田　真一）

5 月 5 日㊌	天気	行事	
	気温　　　℃		

🎏こどもの日　　　　　　　　　　　　　　　　　　　　端午の節句、立夏、レゴの日

---

5 月 6 日㊍	天気	行事	
	気温　　　℃		

コロッケの日

福岡の八女茶　〜甘くてコクのある豊かなうま味〜

　緑豊かな八女地域は、矢部川の清流に育まれ、多彩な農産物が生産されています。朝夕の寒暖差が大きく、霧が発生しやすい自然条件と、肥沃な土壌に恵まれているため、茶の栽培に適しており、日本を代表する茶の産地となりました。

　「福岡の八女茶」は、福岡県の八女市、筑後市、広川町で多く生産されています。生産量は年間約2,000tで全国6位（令和元年産）です。量より質を大切にする丁寧なお茶づくりが、長年にわたり高い評価を受け続ける〝甘くてコクのあ

る豊かなうま味〟を支えています。

　中でも、八女地域の黒木町、上陽町、星野村で多く生産される「八女伝統本玉露」は、明治時代から続く伝統的な生産方法が特長です。稲わら等で16日間以上被覆し、日光を適度に遮る栽培を行っています。

　また、茶樹の枝を剪定しない自然仕立てで栽培し、摘採は手摘みで行うなど、伝統的な栽培と匠の技により、全国茶品評会「玉露の部」において、最高位の農林水産大臣賞を6年連続で、

5 月 7 日㊎	天気	行事
	気温　　　　℃	

コナモンの日

5 月 8 日㊏	天気	行事
	気温　　　　℃	

世界赤十字デー

八女市は産地賞を19年連続で受賞しています。（令和元年8月時点）

　さらに、平成27年12月には、伝統的な生産方法や気候・風土などの生産地の特性が、品質等に結びついている産品を登録・保護する「地理的表示（GI）保護制度」に「茶」として初めて登録されました。

　令和5年には、発祥から600年を迎えます。これを契機に、更なるブランド力強化を図るため、福岡県では、茶生産者、茶商、関係団体と一体となって、「福岡の八女茶」ロゴマークを初めて作成しました。

　生産者と販売者が「福岡の八女茶」のブランドを高めるという同じ目標を掲げ、地域一体となって、世界のトップブランドを目指しています。

（福岡県農林水産部）

5 月 9 日 ⊜	天気	行事
	気温　　　℃	

母の日、アイスクリームの日

5 月10日 ㊊	天気	行事
	気温　　　℃	

愛鳥週間、地質の日

金　　魚

美しくこの世に生まれ金魚鉢　　　川崎火呂志

　ゴールデンウィーク頃から、いろいろな催しが各地で増えてくる。出店がたつところには必ず金魚すくいもいる。紙の網ですくうが意外と難しい。

むきになる金魚すくいが恋に似て　　佐　伯けい

　店主はスイッと琉金や出目金を1匹も3匹もすくいあげるが、客の方はそうはいかない。

琉金のふりそで重い児にも似て　　　馬場　栄子
蘭鋳を金魚はお化けかと思い　　　菖浦　正明

　金魚は室町時代に原産地の中国より入ってきた。それをもとに選別や交配を行うことで多様な品種を生み、現在は20種を越すといわれる。奈良県の大和郡山、愛知県の弥富、東京江戸川区が三大産地とされる。

金魚ひらひら私ひらひら日曜日　　　たなかまきこ

　昨年は新型コロナの感染予防から、各地でイベントが次々取り止めとなり、金魚すくいの出番が消えてしまった。生産者、卸業者、金魚すくい業者を含めた小売業の経営や生活はどうな

5 月11日㊋	天気		行事	
	気温	℃		

5 月12日㊌	天気		行事	
	気温	℃		

看護の日、庚申、新月

っているのだろうと思わざるを得ない。新型コロナで廃業させないくらいの強い後楯の政治であってほしいものです。

不要不急の外出は自粛とあって、金魚も私も浮かれてはおれない。

母と娘の内緒話を聞く金魚　　　乾　ふたよ
すれちがう金魚は何を言ったやら　加賀佳汀

擬人化された金魚が、人間世界にとけこんでいるのが楽しい。親子の仲の良い会話の内容にほのぼのとした気持ちになった金魚が、仲間に

うれしさを聞かせたのだろう。

藻の陰の黒い金魚は哲学者　　　　安井　久子

場所が大きい水槽でたくさん金魚がいれば金魚界のドン（首領）になるが、金魚鉢では沈思黙考して動かぬ黒ずくめは哲学者に映る。新型コロナ後の金魚界を考えているのだろう。感染の不安など忘れ、金魚すくいを楽しむ日が1日も早くきてほしい。

（NHK学園川柳講師　橋爪まさのり）

5 月13日㊍	天気		行事
	気温	℃	

5 月14日㊎	天気		行事
	気温	℃	

種痘記念日、合板の日

有明海だけに棲む幻の魚「えつ」

　日本で唯一有明海にしか生息しない「えつ」は、食通の憧れる幻の魚。

　しかも、獲れるのは産卵のために海から上がってくる５月～７月の間だけで、地元の人でもなかなか口にできない貴重な食材です。

　その味わいは淡白で上品。プリプリとした食感が魅力なのですが、小骨が多く、丹念に骨切りする必要があるため、料理人には高度な技術が求められます。

　刺し身に塩焼き、から揚げにすり身の吸い物

など、多彩な味が楽しめる「えつ」は、佐賀を代表する初夏の味です。

　地元では、この旬の味覚をたっぷり味わってもらおうと、毎年５月中旬から７月下旬まで「えつ銀色祭り」を開催して、佐賀の特産品を全力でアピール。平成25年から始まった「えつ銀色祭り」では、加盟店でえつ料理が提供されるほか、様々なイベントも開催されて、「えつ」のＰＲに努めています。

　「えつ」は、体長は約30～40cmのカタクチイ

5 月15日㊏	天気	行事
	気温　　　℃	

5 月16日㊐	天気	行事
	気温　　　℃	

ワシ科の魚で、銀白色の透き通る魚体は鋭利な日本刀にも例えられます。

　「えつ」が登場する伝説や民話は数多く、中国から不老不死の霊薬を求めて上陸したとされる徐福や、弘法大師にまつわるエピソードにも「えつ」が登場します。

　今から約2200年前、秦の始皇帝に不老不死の霊薬を探すよう命じられた徐福は、船で現在の佐賀郡諸富町に上陸。生い茂るアシの葉を手で払って進んだところ、その片葉がエツになったというのが一説。

　また、旅の途中だった弘法大師が筑後川を渡してくれた老漁師に感謝して「魚がとれない時はこの魚をとりなさい」と岸辺のアシの葉を川に流すと、葉がエツに姿を変えたというのが一説。いずれも昭和54年発行の「諸富の民話」に編さんされています。

（佐賀県伝統食探訪会）

5 月 17 日 ㋬	天気		行事
	気温	℃	

世界電気通信記念日、高血圧の日

5 月 18 日 ㋫	天気		行事
	気温	℃	

国際親善デー

今も心に残る連続テレビ小説ランキング⑤

　視聴者投票の５位は、平成13年の作品ながら今も根強い人気を誇る名作「ちゅらさん」です。沖縄の美しい風景と人情味豊かな人々とのふれあいが共感を呼び、続編がパート４まで制作された異例の作品です。

　沖縄の小浜島と東京を舞台に、初恋の人と運命の再会を果たし、少女のころの夢を実現させるヒロイン恵理の物語。その明るくまっすぐな生き方と心温まるエピソードや美しい自然を通

して沖縄の魅力がたっぷりと描かれています。劇中で披露される琉球舞踊や島唄、三線の調べなど、南国らしい演出もドラマを盛り上げる貴重なアクセントになっています。

●ものがたり

　沖縄が本土に復帰した昭和47年、沖縄の小浜島で生まれた古波蔵恵理は、小学生の時運命の少年と出会い、結婚の約束をします。

　やがて彼と再会するため上京した恵理は、医師となった文也と再会。看護師という天職を得

5 月19日㊌	天気		行事
	気温	℃	

5 月20日㊍	天気		行事
	気温	℃	

た恵里は、紆余曲折の末に文也と結ばれます。しかし息子が心を病んだことを機に一家は小浜島へ移住。夫婦で医療活動をしながら、おばぁの「命どう宝(命が一番大切)」という言葉を胸に、看護師として人の命を守るため全力を尽くそうと決意します。
●制作【作】岡田惠和【音楽】丸山和範
【主題歌】キロロ【出演】国仲涼子、堺 正章、田中好子、平良とみ、ゴリ、川田広樹ほか

●エピソード
　恵理の祖母を演じた平良とみは、沖縄芝居を代表する看板役者。劇中では愛称の「おばぁ」で呼ばれていました。また恵里の兄のゴリが考案したという設定の「ゴーヤーマン」が商品化され、大ヒットするという一幕も。
　沖縄が舞台とあって、ドラマにはダチョウ倶楽部の肥後克広さん、BIGINのボーカル比嘉栄昇さん、主題歌を歌うキロロなど、沖縄出身者が大勢出演して花を添えました。

5 月21日㊎	天気	行事
	気温　　　　℃	

5 月22日㊏	天気	行事
	気温　　　　℃	

地域に伝わる食文化をアレンジ！　安芸太田町ご当地グルメ「漬物焼きそば」

　広島県の芸北地域（県北西部）に伝わる味覚の一つに、焼き漬け菜があります。

　昭和初期頃の広島県内各地の食生活をまとめた本によると、焼き漬け菜とは、囲炉裏の灰の上に鉄鍋の破片などを置き、その上に切った広島菜や大根菜などの漬け菜をのせて焼き、何もかけずにそのまま食べるというものだそうです。本格的に農作業が忙しくなる春、朝食のおかずとしてよく食べられました。

　時は流れ、平成26年。この焼き漬け菜の食べ方をアレンジし、安芸太田町の新しいご当地グルメとして誕生したのが、漬物焼きそばです。安芸太田町観光協会の若手職員が、地域のお年寄りの家の雪かきをお手伝いするツアーを実施した際、町内松原地区の方から家庭料理として「焼き漬物」を振舞っていただいたことが、開発のきっかけでした。

　漬物焼きそばの特徴は、なんと言っても、鼻孔をくすぐる香ばしい漬物の香りとその風味です。濃厚なコクの中にさっぱりとした味わいが

5 月23日㊐	天気	行事
	気温　　　℃	

kissデー

5 月24日㊊	天気	行事
	気温　　　℃	

伊達巻の日

同居する漬物焼きそばは、漬物にあまり馴染みのない若い人からも美味しいと評判です。

　安芸太田町内で漬物焼きそばが食べられるお店は、現在7店舗。焼きそばに入る漬物は、お店によって異なり、カブ菜や白菜の古漬けの他、広島菜漬や白菜キムチと様々で、それぞれにこだわりの味が楽しめます。

　国の特別名勝「三段峡」をはじめ、自然豊かな安芸太田町にお越しの際は、ぜひ、本場の漬物焼きそばをご笑味ください。

（広島県農林水産局　販売・連携推進課

田口　恭子）

5 月25日㊋	天気	行事
	気温　　　　℃	

5 月26日㊌	天気	行事
	気温　　　　℃	

満月

中山間放牧地での牛の行動をさぐる

　放牧という言葉からイメージされるのは、広い草原の中を多くの牛がのんびり草を食んでいる光景ではないでしょうか？しかし、大きな草原のない中山間地域でも、実は、水田や畑、林地などいろいろな場所を利用して放牧が行われています。高齢化や人手不足により農地や畦畔の維持・管理が困難になりつつある中山間地域では、土地管理や収益確保の面などからも放牧を取り入れた農業・畜産技術の発展が期待されています。

　ただし、これらの場所で展開する放牧は、さまざまな地形要素があるゆえの事故や管理の困難さ、牛の餌となる草量の不足などの問題も指摘されています。そこで、これらの問題の解決や管理技術の向上を目指して、中山間地で放牧される牛にGPS付き首輪と活動量計を装着して、その行動様式を解析する研究に取り組んでいます。

　これまでの調査で、以下のことがわかりました。休耕田での放牧では、水はけの悪い湿地化

5 月27日㊍	天気		行事
	気温	℃	

小松菜の日

5 月28日㊎	天気		行事
	気温	℃	

ゴルフ記念日

した場所での採食は少なく、休息は全くありま
せんでした。一方、水はけの良い場所では生育
していたススキなど野草をよく食べ、休息も見
られます。林地での放牧では、大半の場所は、
採食はおろか休息でも訪れないことがわかりま
した。林床の下草不足や傾斜地形の影響が大き
かったのかもしれません。ただし、休息に積極
的に利用している場所も一部ありました。一方、
ネザサなど野草が生える林縁は重要な採食場所
であり休息場所でもあることがわかりました。

そして、牧草を播種した水田や遊休地は放牧牛
にとって最もよく利用する採食・休息場になっ
ていました。
　今後、これらの知見を精査して詳細に解析す
ることで、中山間地の放牧管理に役立てていき
ます。

（農研機構　西日本農業研究センター

　　　　　　　　　　　　　　　　渡辺　也恭）

5 月29日㊏	天気	行事
	気温　　　　℃	

こんにゃくの日

5 月30日㊐	天気	行事
	気温　　　　℃	

ゴミゼロの日、消費者の日

アスパラガス　〜スタミナアップの料理〜

　福島県は会津・中通り・浜通りと３地域に区分され、とくに会津地方は豊富な野菜が数多く栽培されており、伝統野菜13種類が有名です。

　アスパラガスは、江戸時代にはすでに観賞用として中国から伝わっており、本格的に食用に供されたのは大正時代以降と言われています。しばらくの間は缶詰用として「ホワイトアスパラ」が栽培されていました。

　後に「グリーンアスパラ」が栽培されるようになり、減反政策も相まって、急速に生産量を増やして現在に至っています。

　栄養価についてはタンパク質、ビタミンB_2、カルシウムやカロテンなどがバランス良く含まれていて、食物繊維も豊富でスタミナアップに役立ちます。

　また、アスパラギン酸、毛細血管を丈夫にするルチンなどの成分が多く含まれていて注目されています。

　会津西部にJAが共同選果場を平成17年に設置したことで、より安全・安心な品質の高いア

5 月31日㈪	天気	行事
	気温　　　　℃	

コラム

「たんこぶ」の中身は？

　頭を柱など固いものに強くぶつけると、コブができます。これを普通「た□□□□□□□□□□□。

　足や腕、腰などを周囲のたんすや柱などに強くぶつけてしまうことがありますが、不思議と膨れあがってコブになることは少ないはず。それでは、なぜ頭部だとコブができてしまうのでしょうか？

　頭は、皮膚と頭蓋骨の間の組織がとても薄いため、外部からの衝撃をもろに受けてしまい、その際に皮下の血管が破れて出血をします。

　衝撃を受けたとき、皮膚も傷ついて□□□□□□□□□□□□□□□□□□すことになりますが、皮膚に傷がつかないと、内出血を起こした血液は行き場を失くしてしまい、その場に滞留し、その部分が膨らみます。この血液のかたまりが「たんこぶ」の正体です。

スパラガスを出荷出来るようになりました。

　福島県のアスパラガスの作付面積は平成18年で356ha、販売高は約10億円に達しています。

【アスパラガスの調理例】
　・アスパラの肉巻き
　・チーズ巻き
　・天ぷら
　・アスパラ入り野菜サラダ

※栄養素と調理例は、「やさい歳時記：成美堂出版」より引用しました。

（福島農林統計OB会　事務局長　平田　保）

階段の使い過ぎにはご注意！

　足や太ももの筋肉を維持するため、駅などでエスカレーターを使わず、できるだけ階段を利用する人の話を聞きます。これは素晴らしい習慣なのですが、何事も「ほどほど」が大切で、筋力が衰えている中高年になると、注意しなければならないことがあります。

　歩いている時は何ともないのに、階段の上り下りの時に膝が痛むのは、「変形性膝関節症」の典型的な初期症状です。

　これは膝関節に負担が蓄積することで関節が変形する病気です。早期の状態であれば、安静にしていることで痛みが治まる場合が多いです。この段階で、痛みがとれたことで安心してしまう人もいますが、進行すると痛みも強くなり、日常生活に支障をきたすことになります。

　このように階段の昇降で痛みを感じた人は、「変形性膝関節症」の可能性があるので、整形外科を受診して診察を受けることをおすすめします。早期であれば運動療法も効果がありますが、医師や理学療法士と相談しながら治療を行うと良いでしょう。

　ウォーキングは適度な軽い運動ですので、特に高齢者には効果の高いアンチエイジングの習慣と言えます。人の老化の進み方は部位によって異なり、一般的に言って、最初に老化があらわれるのが肺の機能です。階段の上りで息切れがして「年齢」を実感する人も多いと思います。

　肺の機能が低下して呼吸量が減少すると体内の血液循環も悪くなります。そうなると心臓から新鮮な血液を全身に送る心肺機能も低下してしまいます。その結果、体の端々に酸素や栄養が届かず、老化が進行するという仕組みです。心肺機能を高めるために、「適度に」運動を続けていきましょう。

　　　　参考図書「あなたの健康常識は間違っている
　　　　　やってはいけない」㈱アントレックス

足を組んで座ると、腰痛の原因になる

　家でソファーに座る時、食卓で食事をする時、あるいは会社のデスクで仕事をしている時、ついつい無意識に足を組んでしまう人が多いのではないでしょうか。

　このような人は、すでに骨盤がずれてしまい、背骨が歪んでいる可能性が高いと推測できます。おそらく、足を組んでいないと体幹が安定しないのでしょう。

　足を組む習慣を続けていると、体にとって不自然な姿勢を続けていることになり、関節や筋肉に余計な負担をかけ、肩こりや腰痛を引き起こす要因になってしまいます。

　骨盤がずれていると背骨にも歪みが生じます。背骨には運動をつかさどる中枢神経が通っています。歪みが原因で中枢神経が圧迫されると、手足がスムーズに動かせなくなったり、腰や背中に痛みが生じたりすることもあります。

　また、どちらか一方の足を組む習慣がある人は、背骨が片側に曲がって側弯症になる危険があります。

　背骨の歪みは内臓機能の低下や血液・リンパの流れを阻害してしまうので、様々な体の不調を引き起こします。便秘や下痢、足のむくみなども背骨の歪みが原因であることも少なくありません。また、骨盤のずれによって内臓の位置が下がってしまい、冷え性や下半身太りにつながることもあります。

　日常生活のなかで、良い姿勢を意識しながら過ごすことは、健康と若さを保つ大切な心掛けです。お化粧やファッションに気をつけていても、背骨が曲がっているとどうしても老けて見られてしまいます。ときどき自分の姿を鏡で確認をして、正しい姿勢を意識するようにしましょう。

　　　　参考図書「あなたの健康常識は間違っている
　　　　　やってはいけない」㈱アントレックス

6月
June

チャグチャグ馬コ
（岩手県岩手郡滝沢村）

6月の花き・園芸作業等

花　　き

プリムラの播種。ハナショウブ、アヤメの株分け。熱帯性観葉植物の株分け、鉢替え。チューリップ、ムスカリ、ヒヤシンスなど秋植え球根類の堀り上げ、貯蔵。エビネの株分け、鉢替え。アサガオの支柱たて。キンモクセイ、ツバキ、ツツジ、アオキなど常緑樹の挿し木。

野　　菜

抑制キュウリ、ニンジン、ミツバの播種。セルリ、イチゴ、リーキ、球形キャベツの移植。キュウリ、カボチャ、スイカ、トマト、トウモロコシの追肥。キュウリ、カボチャの摘芯、整枝、摘葉、敷草。キュウリ、カボチャ、ナス、トマト、ソラマメ、タマネギの収穫。

果　　樹

リンゴ、赤ナシの袋かけ。カキの摘果、人工交配。早生モモ、サクランボの収穫。モモ、ナシの夏季剪定。ブドウの摘芯、誘引。ミカン、ビワの移植。敷草、排水溝整備。ブドウの根接ぎ。ミカン、ブドウ、リンゴ、ナシ、カキの病害虫防除。

6月 暦と行事予定表

	節 気 ・ 行 事	予 定
1 ㊋	電波の日、写真の日、気象記念日、衣かえ、万国郵便連合加盟記念日	
2 ㊌	横浜開港記念日、甘露煮の日、下弦の月	
3 ㊍	測量の日、ムーミンの日	
4 ㊎	歯と口の健康週間	
5 ㊏	芒種、世界環境デー、危険物安全週間（12日まで）	
6 ㊐	楽器の日、梅の日	
7 ㊊		
8 ㊋		
9 ㊌	ロックの日	
10 ㊍	時の記念日、新月	
11 ㊎	入梅、傘の日	
12 ㊏		
13 ㊐		
14 ㊊	世界献血者デー、旧端午の節句	
15 ㊋	天赦日、生姜の日	
16 ㊌	和菓子の日	
17 ㊍	さくらんぼの日	
18 ㊎		
19 ㊏		
20 ㊐	父の日、	
21 ㊊	夏至	
22 ㊋	ボウリングの日、冷蔵庫の日、かにの日	
23 ㊌	沖縄慰霊の日、オリンピックデー	
24 ㊍	麦の日	
25 ㊎	住宅デー、満月	
26 ㊏	国連憲章調印記念日	
27 ㊐	ちらし寿司の日、メディア・リテラシーの日	
28 ㊊	貿易記念日	
29 ㊋	佃煮の日	
30 ㊌	大祓、夏越祭	

病害虫予防と農薬安全使用

野菜のよく育つ季節は、病害虫も活発な時期です。病気や害虫は予防することが大切ですが、農薬を使うときには、さまざまな注意が必要です。

●栽培方法の工夫

病気の多くは排水の悪い畑、風通しと日当たりの良くない畑で発生しやすいため、高畝や疎植にして栽培環境を改善しましょう。

●耐病性品種や接ぎ木苗

キャベツやハクサイは、連作すると根がこぶ状に肥大する根こぶ病となることがあります。トマト、ナスでは、根が侵され、しおれる病気があります。これらの病気には耐病性品種や接ぎ木苗を使って病気を防ぎましょう。

●マルチ栽培

土が雨に打たれて、葉への跳ね上がりは病気のもとなので、株元にワラやポリフィルムでマルチをします。

●ネット栽培

防虫ネットをトンネル状に掛けることや不織布のべたがけ栽培により、害虫の侵入を防ぎます。ネットの目合いが細かいほど効果が高くなります。

●アブラムシ対策

アブラムシはキラキラする光を嫌うため、光を反射するポリマルチ（銀色または白色）が飛来防止に効果的です。また、畑の周りに障壁としてソルゴーなどを作ったり、ネットで囲ったりしてもよいでしょう。

●農薬ラベルを確認

農薬の容器には効果的で安全に使う事項が記されています。この使用方法は必ず守りましょう。

●農薬散布の方法

夏の日中をさけ、朝夕の風がなく涼しい時間帯に作業しましょう。また、散布するときは安全のために保護具（防除用作業着や農薬用マスク、不浸透性手袋、保護メガネ、長靴）をかならず着用しましょう。

（神奈川県種苗協同組合　成松　次郎）

知っておきたい漢方薬　その2

夏バテによく効く漢方薬

暑さが厳しさを増す季節です。

地球温暖化の影響か、昨今の暑さは度を超えています。それに日本特有の高い湿気が加わって、不快感は増すばかり。そんななかでは、「夏バテするな」というほうが無理な相談というもの。漢方薬を上手に使って、この夏を元気に乗り越えましょう。

ひとくちに夏バテと言いますが、漢方の世界では、大きく2つに大別されます。

まずは、梅雨時から体調が悪化し、食欲が低下、夏やせするタイプです。

もともと胃腸の弱い人に多く、暑さと湿気で体液を排出する働きが鈍り、不要な水分が体内に溜まることで活動が鈍って夏バテの状態になります。食後は寝てゴロゴロして過ごすことが多いのも特徴です。

このタイプの夏バテには、香砂六君子湯がよく効きます。これは胃腸の機能を高める六君子湯に食欲を高める香料を加えたもので、胃腸を整えて食欲増進を計り、水分の排出を促進し、夏バテ解消を計る薬です。下痢がある場合には、胃苓湯が処方されることもあります。

夏の間は元気溌剌であるものの、秋口にガッとくるタイプは、夏の頑張りすぎが原因。皮膚が乾燥して手足がほてり、のどの渇きや尿量の減少なども併発していることでしょう。

このタイプの夏バテには、胃腸の働きを促進して食欲を増すことで生命エネルギーである「気」を補い、同時に体液を補って「水」を補給、身体の熱を冷ます生薬で構成された清暑益気湯がよく効きます。

この漢方薬は夏バテ防止の代表的な漢方薬で、「気」を充実させ、人参と黄耆を含むことから参耆剤と呼ばれます。

（ライター　千羽　ひとみ）

| 6 月 1 日㈫ | 天気 | 行事 |
| | 気温　　　　℃ | |

電波の日、写真の日、気象記念日、衣かえ、万国郵便連合加盟記念日

| 6 月 2 日㈬ | 天気 | 行事 |
| | 気温　　　　℃ | |

横浜開港記念日、甘露煮の日、下弦の月

半夏だんご（みょうがだんご）
（はんげ）

　香川県にも半夏だんご（別名：はげだんご）がある。高知県の大豊町の半夏だんごは、小麦粉の皮で餡子を包み、みょうがの葉でくるんだ菓子で、香川県のだんごとは形が違う。

　昔は「半夏半作」といい、みなの協力で農作業を半夏までに終えた。大豊町では農繁期の慰労を兼ねて、どんなに仕事がつかえていても7月2日の半夏生に1日休み、このだんごを作って田の神様に供え食べた。また、七夕の翌日に「半夏だんご」を食べる習慣もある。

　もち米でなく小麦粉を使うのは、大豊町は、四国山地の中央部に位置する山あいの町で、米は、大変貴重であった。小麦を栽培しており、半夏だんごの他にも地粉（中力粉）を使った郷土菓子がある。

　みょうがの葉は防腐効果があり、さわやかな香りが食欲をそそる。みょうがの葉でくるむ菓子は、他県にもあるが、米の粉で作られるものが多い。

6 月 3 日㊍	天気	行事
	気温　　　℃	

測量の日、ムーミンの日

6 月 4 日㊎	天気	行事
	気温　　　℃	

歯と口の健康週間

【材料：約20個分】
　小麦粉(中力粉)：500ｇ
　砂糖：１／２カップ
　塩：大さじ１／２
　熱湯：３カップ
　粒あん：600〜800ｇ
　みょうがの葉：40枚

【作り方】
①小麦粉に砂糖と塩を加え、ふるっておく。

②ふるった粉に熱湯を加え、しゃもじで手早く
　混ぜたのち、粘りが出るまで手で良くこねる。
　生地をまとめ、ラップをかけ、10分ほどねか
　せる。
③丸めたあんを②の生地で包み、みょうがの葉
　２枚でくるむ。
⑤蒸気のあがった蒸し器に入れ、約15分蒸す。

（土佐伝統食研究会）

6 月 5 日㊏	天気	行事
	気温　　　　℃	

芒種、世界環境デー、危険物安全週間（12日まで）

---

6 月 6 日㊐	天気	行事
	気温　　　　℃	

楽器の日、梅の日

アカシアの花

アカシアの花へ小雨が詩にする　　井川　紋弥

　5月から6月にかけて、白い総状の花を咲かせるアカシアはアメリカが原産。明治10（1877）年頃に輸入され、街路樹や防風林として植えられた。アカシアと呼んでいるが別名は「贋アカシア」という木である。

　香り高い花は詩情をそそる。その代表ともいえるのが童謡「この道」。『この道はいつか来た道／ああ／そうだよ／あかしやの花が咲いてる／あの丘はいつか見た丘／ああ／そうだよ／ほ

ら白い時計台だよ──』

アカシアの路口笛が透きとおり　　増井不二也
アカシアの緑心も染まりそう　　倉石シゲコ

　作詞した北原白秋は大正15（1926）年に札幌を訪れた。当時、札幌駅前通り、北一条通りの並木を見た。その思いでが詩になったといわれる。作曲は山田耕作。

白きアカシア黒髪の匂うごと　　岸本　吟一

　昭和35（1960）年4月、西田佐知子の「アカシアの雨がやむとき」が出た。いわゆる安保闘

6 月 7 日㊊	天気	行事	
	気温　　　℃		

6 月 8 日㊋	天気	行事	
	気温　　　℃		

争のさなかであった。新日米安保条約を阻止しようと全国では500万人の早朝ストライキ、33万人による国会包囲デモなどがくりひろげられた。6月15日、国会の構内に突入した学生デモ隊で東大の女子学生が死亡した。6月19日には新安保が自然成立。

アカシアの白悲しみに耐えた白　　佐野　裕子

『アカシアの雨にうたれて／このまま死んでしまいたい／夜が明ける日がのぼる／朝の光のその中で／冷たくなったわたしを見つけて／あの人は／涙を流してくれるでしょうか』

切なく、やるせない、それでいて一途な思いは、安保闘争後の心情に通じるものがあったのだろうか。安保世代と呼ばれる世代には今も好まれているという。

房状の白い花と芳香は、母への懐しさにつながっている。

アカシアの音もなく散る母よ母　　石井　有人
かあさん信州ですアカシアの母白し　西來みわ
（NHK学園川柳講師　橋爪まさのり）

6 月 9 日㊌	天気		行事
	気温	℃	

ロックの日

6 月10日㊍	天気		行事
	気温	℃	

時の記念日、新月

アナゴ　～江戸前を代表する食材～

　６月から８月にかけて、旬を迎える食材に江戸前のアナゴがあります。背開きにして寿司だね、天ぷら、かば焼き、ちり鍋など、柔らかい身にほどよい脂肪があり、梅雨どきになれば身も厚さを増し、食べごろとなります。

　アナゴの仲間にはマアナゴ、ゴテンアナゴ、ギンアナゴ、クロアナゴ、キリアナゴなどがありますが、市場に出回る食材はほとんどマアナゴです。

　アナゴは日本各地の沿岸、特に内湾の砂泥の

海底にすみ、夜行性で一般に夜釣りで獲れます。神奈川県でも各地で獲れますが、特に横浜市金沢沖で獲れるものは味がよいことで知られています。

　マアナゴの特長は小さな目、茶褐色の細長い体、側線の孔が白色で、ウナギと同様体にヌメリがあります。体長は90㎝くらいまで大きくなりますが、料理に適した大きさは体長40㎝前後で、小ぶりなものは天ぷら、40㎝以上は煮アナゴ、45㎝以上は白焼きがお薦めと言われていま

6 月11日㊎	天気		行事
	気温	℃	

入梅、傘の日

6 月12日㊏	天気		行事
	気温	℃	

す。
　神奈川県ではアナゴ筒漁業、小型機船底びき網漁業で年間300トン前後が漁獲されています。漁獲量の80％を占めるアナゴ筒漁業の漁具のアナゴ筒は長さ80cm、直径10cm程度の塩化ビニル管の筒を30cm間隔で縄に連結したもので、これを海に投入します。筒には水抜きや資源管理のためのアナゴの稚魚を逃がす穴があります。筒の中には餌のイワシやイカを入れ、筒に入ったら出られない仕組みになっています。

　このように筒で漁獲することによって傷やストレスを与えることなく漁獲できるので、市場では特に高い評価を得ています。

（小清水　正美）

6 月13日⊖	天気		行事	
	気温	℃		

6 月14日㊊	天気		行事	
	気温	℃		

世界献血者デー、旧端午の節句

モモを枯らすクビアカツヤカミキリ

クビアカツヤカミキリは外来のカミキリムシです。本来の生息地は中国大陸です。

2020年現在、関東から四国にかけて9都府県で発生しています。成虫は体長3〜5cmで、全身は黒いのに対し胸の部分は赤く、全体的に光沢があります（写真）。

メス成虫は、サクラ、モモ、ウメ、スモモ、アンズといったバラ科のスモモ属（サクラ属）の幹に産卵します。卵からかえった幼虫は、樹皮の下で形成層を食い進み、糞と木くずの混ざった「フラス」を大量に排出します。幼虫が多数寄生すると樹が枯れることもあります。十分に育った幼虫は、翌年〜翌々年の春に蛹になり、夏に成虫になります。幼虫が樹から排出するフラスが、被害を発見する大きな手掛かりとなります。

防除の方法としては、1．捕殺（寄生されている樹の株元に防虫網を巻き付けたり、飛んでくる成虫を捕まえたりして殺す）、2．伐採（寄生された樹を伐採する）、3．殺虫剤を処理する、

6 月15日㊋	天気		行事
	気温	℃	

天赦日、生姜の日

6 月16日㊌	天気		行事
	気温	℃	

和菓子の日

といった方法があります。

　クビアカツヤカミキリらしい虫や、大量のフラスを見つけたら、すぐに、農業普及所や環境課などの関係機関に連絡してください。取り扱う際には、注意してほしい点があります。クビアカツヤカミキリは環境省が指定する特定外来生物ですので、許可なく捕まえたり、飼ったりすることはできません。そして、成虫（特にオス）は怒ると匂いのある刺激物質をまき散らします。成虫を扱う際にはなるべく刺激しないよ

うにして、触った手は良く洗ってください。

写真　クビアカツヤカミキリのオス成虫

（農研機構　果樹茶業研究部門
　　　　　　虫害ユニット　上地　奈美）

6 月17日㊍	天気	行事
	気温　　　　℃	

さくらんぼの日

6 月18日㊎	天気	行事
	気温　　　　℃	

海外移住の日、上弦の月

東北初地域団体商標取得「たっこにんにく」

　田子町のにんにく栽培の歴史は、昭和38年に田子農協青年部が20 a 分の種子を購入し栽培を始め、58年目を迎えます。

　土づくりを基本に試行錯誤を重ねつつ、品種統一や種子選別に力を入れ、販路を開拓し、系統出荷体制を整えました。

　更には、出荷規格・品質基準・選果選別にも着手し、生産者意識の改革も進め、昭和50年には市場から、出荷数量・品質共に「にんにく日本一」の評価を頂けるようになりました。

　しかし、「たっこにんにく」は順風満帆で産地が保たれてきたわけではありません。外国産の輸入量増加による価格暴落や萌芽抑制剤の使用禁止など、困難な状況にも直面しましたが、生産者・JA・行政等が一体となり、問題を解消してきました。

　その努力の成果として「たっこにんにく」は、田子町の財産となる地域ブランドとして、平成18年に特許庁より認可された、東北初の地域団体商標となります。

6 月19日㊏	天気		行事
	気温	℃	

6 月20日㊐	天気		行事
	気温	℃	

父の日、ペパーミントの日

　平成22年から町オリジナル品種の開発にも着
手し、平成29年にはオリジナル品種「たっこ1
号」が品種登録され、愛称「美六姫（みろくひめ）」として販
売を開始したところです。
　にんにく産地としての努力と想いが詰まって
いる「たっこにんにく」を、是非とも、ご賞味
いただきたいと思います。

（田子町役場 産業振興課　戸川　修一）

6 月21日㈪	天気	行事
	気温　　　　℃	

夏至

6 月22日㈫	天気	行事
	気温　　　　℃	

ボウリングの日、冷蔵庫の日、かにの日

今も心に残る連続テレビ小説ランキング⑥

　視聴者投票の6位は、大正時代の東京と大阪を舞台にした「ごちそうさん」です。

　「どんな困難にぶち当たってもごはんを食べていければ何とかなる！」というヒロインめ以子の波乱に満ちた人生を、ユーモアを交えながら骨太なドラマに仕立てた作品です。

　大正時代の東京で洋食店を営む両親の元、何不自由なく育った食いしん坊のめ以子が、下宿人の大学生・西門悠太郎に恋をするところから

ドラマはスタートします。

●ものがたり

　天真爛漫な食いしん坊娘、卯野め以子は家に下宿していたへんくつな浪速男・西門悠太郎に恋をします。「私を一生食べさせてください！私もあなたを一生食べさせますから」という奇想天外なめ以子のプロポーズから、食を巡る様々な人生模様が始まるのです。

　こうして「食い倒れの街」大阪に嫁いだめ以子ですが、義姉の和枝から数々の「いけず」を

6 月23日㉛	天気	行事
	気温　　　　℃	

沖縄慰霊の日、オリンピックデー

6 月24日㊍	天気	行事
	気温　　　　℃	

麦の日

受けて、めげそうになることも度々でした。
　それでもめ以子は食を通じて次第に家族のわだかまりを解いていき、確かな家族の絆を築いていくのです。食を通じてひたむきなめ以子の生き方を描いた作品は、主婦層からも大きな共感を呼びました。
●制作【作】森下佳子【音楽】菅野よう子【語り】吉行和子【主題歌】ゆず
【出演】杏、東出昌大、宮崎美子、近藤正臣、ムロツヨシ、原田泰造、キムラ緑子ほか

●エピソード
　主演の杏、東出昌大ともにパリコレなどでも活動するモデルで、連ドラ史上最も長身の主役コンビとなりました。杏は自宅でぬか床を育てたり本格的な和包丁を使ったりと気合十分。劇中においしそうな料理が登場するということで、ドラマには食通のファンが多かったといいます。劇中の料理は人気スタイリストの飯島奈美さんが担当していました。

6 月25日㊎	天気		行事
	気温	℃	

住宅デー、満月

6 月26日㊏	天気		行事
	気温	℃	

国連憲章調印記念日

自動操舵で農作業は楽になる　～オペレータの心理的負担の軽減～

トラクタの自動操舵はこれまで北海道で6,000台以上導入されています。このような急速な普及は、生産者やトラクタオペレータが導入の有効性を評価した結果です。

アンケート調査では、8割のオペレータは1時間以上の農作業を行う時、自動操舵を使うことで作業が楽になったと感じていました。しかし、オペレータがなぜ作業を楽に感じるかはわかっていませんでした。

そこで、オペレータに手動操作と自動操舵で同じ作業（ダイズの中耕）をしてもらい、身体的な負担を示す心拍数と、心理的な負担の指標である唾液中のアミラーゼ活性を作業の前後と作業中に測定して比較しました。

オペレータの心拍数は、作業時とその前後の差が小さく、自動操舵区と手動操作区の心拍数には有意な差は認められませんでした。

一方、唾液中のアミラーゼ活性は、作業を始めると高くなりましたが、手動操作の作業に比べて自動操舵の作業ではほぼ一貫してアミラー

| 6 月27日㊐ | 天気 | 行事 |
| | 気温　　　　℃ | |

| 6 月28日㊊ | 天気 | 行事 |
| | 気温　　　　℃ | |

ゼ活性が低いことがわかりました。これらの結果から、自動操舵を使用することにより農作業を楽に感じるのは、身体的な負担が軽減されたことによるものではなく、作業中のストレスが減り、心理的負担が軽減するためであると考えられました。

この他、自動操舵を使うことにより、作業の精度は高まること、耕起・整地作業等の掛け合わせを小さくでき、一定面積の作業の行程数を減らすことができるなどのメリットがあるこ

と、播種作業ではむしろ作業の行程数が増えること等が確認されました。

（農研機構　北海道農業研究センター

辻　博之）

6 月29日㊋	天気		行事	
	気温	℃		

佃煮の日

---

6 月30日㊌	天気		行事	
	気温	℃		

大祓、夏越祭

消しゴムの紙ケースの役割

　昔は様々な色や形の消しゴムがあり、子供たちの重要なアイテムでしたが、いまやトンボ鉛筆社のロングセラー商品「mono消しゴム」が圧倒的なシェアを誇り、それ以外の消しゴムとの２極化が進んでいます。

　消しゴムは主にプラスチック製で、紙のケースに入れられ、さらにセロハンで包まれています。紙ケースは消しゴムが汚れないようについていると思っている人が多いと思いますが、紙ケースには重要な役割があります。

　裸の消しゴムとプラスチック製品を一緒にしておくと、プラスチック製品は部分的に溶けてしまいます。これは、プラスチック製消しゴムに「可塑剤」という溶剤が含まれていて、プラスチック製品を溶かしてしまうためです。つまり、消しゴムの紙ケースは、可塑剤による溶解を防ぐという重要な役割を持っているのです。

7月
July

鯛まつり
（愛知県豊浜）

●節気・行事●

半 夏 生	2日
小 暑	7日
七 夕	7日
ぼ ん	15日
や ぶ 入 り	16日
海 の 日	19日
土 用	19日
大 暑	22日
土 用 の 丑	28日

●月　　　相●

○満　　月	24日
●新　　月	10日

7月の花き・園芸作業等

花　　き

ジャーマン・アイリスの株分けと植付け。ハボタンの播種。ゴムノキ、ホンコンカボック、クロトンの取り木。多雨期の病害虫防除。暑さに弱い種類への日除けの設置。アジサイの整枝。庭木・花木の夏の剪定。生け垣の剪定。ザクロ、ドウダンツツジ、ウメなど落葉樹の緑枝挿し。

野　　菜

キュウリ、チシャ、ニンジン、ダイコンの播種。キャベツ、セルリ、チシャ、葉ネギの移植。夏ネギの定植。ナス、トマトの追肥。ナス、トマト、イチゴの灌水。ウリ類、ナス、キャベツに対する殺菌剤の散布。ネギに対する殺虫剤の散布。キュウリ、ナス、トマト、スイカ、カボチャの収穫。

果　　樹

カキの摘果。モモの袋はぎ。ミカンの追肥。ナシの灌水。ブドウの摘芯、誘引。ブドウの根接ぎ。ビワの播種。早生ナシ、早生リンゴ、中生モモ、ビワ、イチジクの収穫。リンゴ、ナシ、ブドウ、カキ、ミカンの病害虫防除。草生園の草刈り。

7月 暦と行事予定表

	節　気　・　行　事	予　　　　定
1 （木）	社会を明るくする運動、全国安全週間、国民安全の日、富士山山開き、銀行の日	
2 （金）	半夏生、下弦の月	
3 （土）	ソフトクリームの日、七味の日、波の日	
4 （日）	米国独立記念日	
5 （月）	穴子の日	
6 （火）	サラダ記念日	
7 （水）	七夕、小暑	
8 （木）	質屋の日、中国茶の日	
9 （金）		
10 （土）	納豆の日、新月	
11 （日）	初伏、庚申、真珠記念日	
12 （月）	洋食器の日	
13 （火）	盆迎え火	
14 （水）	検疫記念日、パリ祭	
15 （木）	ぼん、中元、甲子	
16 （金）	盆送り火、国土交通デー、賽日、藪入り、閻魔詣り、	
17 （土）	勤労青少年の日、上弦の月	
18 （日）		
19 （月）	◉ 海の日、土用	
20 （火）	ハンバーガーの日、	
21 （水）	中伏	
22 （木）	大暑、下駄の日	
23 （金）	ふみの日	
24 （土）	地蔵盆、満月	
25 （日）	うま味調味料の日	
26 （月）		
27 （火）		
28 （水）	土用の丑	
29 （木）	アマチュア無線の日	
30 （金）	梅干の日、プロレス記念日	
31 （土）	下弦の月	

夏の種まき（1）

昨今は、地球温暖化の影響で猛暑と少雨の夏になる年が多くなりました。そこで夏の種まきと育苗では、これらの対策が特に大切です。

●発芽適温

発芽適温は種類によって異なり、アブラナ科やレタスなどの葉茎菜類は15〜25℃と低温です。発芽適温に近づけるために育苗場所の選定、遮光資材の利用などの高温対策を行います。白や銀色の育苗容器、光を反射し地温が上がりにくいマルチなどの資材があります。特に、発芽までは育苗ポットやセルトレイは日陰で風通しのよい場所に仮置きします。強い日差しで温度が上がり、発芽障害や幼苗に葉焼けを起こすことがあるため、まき床の上に寒冷紗のトンネルやヨシズなどを掛けて遮光します。ただし、遮光しすぎると苗が徒長するので、適度な遮光が必要です。

●育苗培土

ブロッコリー、カリフワラー、キャベツなどアブラナ科とレタスのタネは小さくて子葉が展開するまでの養分しか持っていません。植え付け苗になるまでの肥料分と通気性、保水性を維持できる培土が必要です。

●かん水

育苗ポット、セルトレイは、種まき前日までにかん水して十分水を含ませ、土を落ち着かせておきます。覆土は、種の2〜3倍の厚さにし、軽くかん水した後に新聞紙で覆います。発芽まで土の表面が乾かないように上からかん水し、適湿を保ちます。発芽後はかん水量を少量にし、土の乾湿に応じて行い、育苗後半はやや乾き気味にします。夏のかん水は早朝や夕方に行うのが原則で、日中のかん水はお湯を掛けるようになり、茎葉を傷めます。

（神奈川県種苗協同組合　成松　次郎）

知っておきたい漢方薬　その3

むくみによく効く漢方薬

暑さが厳しさを増し、湿度が身体に堪え始める季節です。ついつい水分に手が行きがちですが、過剰な水分はむくみを呼びます。

まずは水分の取りすぎに注意し、身体を冷やしすぎないこと。それでもむくみを感じた時には、漢方薬を試してみましょう。

胸にむかつきがあり、全身がむくんでいるのは、水分の取りすぎからくるむくみです。

水を取りすぎたことで体内に余分な「水」が停滞し、それが内臓機能の低下を引き起こしているのです。

こうしたむくみには、胃苓湯や六君子湯合五苓散が適しています。どちらも尿の排泄を促進する生薬が配されていて、停滞している「水」の巡りを促進します。

下半身がむくみ、なおかつお腹が冷える人は胃腸の虚弱が原因です。内臓が弱っていることで体内の「水」を処理し切れていない状態です。こうした人は色白で、下痢をしやすくて手足も冷たく、むくんでいるところを押しても凹んだままでもどりません。

このタイプのむくみには、内臓を元気にし、体内の水分を排出させる防已黄耆湯がよく効きます。人参湯合真武湯が処方されることもあります。

下半身、特に内くるぶしにむくみを感じる場合は、腎機能が低下して排尿が上手くいっていないのが原因です。全身が冷える、腰がだるく、ひざが痛くてガクガクする。あるいは疲れやすいなどの症状が併発している場合も多いようです。

このタイプのむくみには、腎臓を元気にして「水」を巡りを改善することが必要です。漢方薬では、牛車腎気丸や、真武湯がおすすめです。

（ライター　千羽　ひとみ）

7 月 1 日㊍	天気		行事	
	気温	℃		

社会を明るくする運動、全国安全週間、国民安全の日、富士山山開き、銀行の日

7 月 2 日㊎	天気		行事	
	気温	℃		

半夏生、下弦の月

今も心に残る連続テレビ小説ランキング⑦

　視聴者投票の７位は昭和後期から平成初期までの比較的新しい時代を描いた「半分、青い。」でした。漫画家志望のヒロイン鈴愛と幼なじみの律とのもどかしい関係や仕事の悩み、人間関係など、主人公の生身の生き方が新しい連ドラの形を感じさせる作品でした。

　バブル時代を舞台に、聴覚に障害を持つ主人公が、迷いながらもたくましく生きる姿を描いた作品。憧れの少女漫画家の夢が破れても、し

たたかに生き続けるヒロインの生き様は、これまでにないヒロイン像を感じさせました。幼なじみの律を演じた佐藤健の人気に後押しされて、視聴率も好調でした。

●ものがたり

　大阪万博の翌年、岐阜県の小さな食堂に生まれた鈴愛は、幼い頃の病気で片耳を失聴するが、それを気にすることもなく伸び伸び育ちます。わが子を愛してやまない両親やいつも彼女に優しい幼なじみの律に見守られながら成長した鈴

7 月 3 日㊏	天気	行事
	気温　　　℃	

ソフトクリームの日、七味の日、波の日

7 月 4 日㊐	天気	行事
	気温　　　℃	

米国独立記念日

愛は、やがて少女漫画家をめざすようになります。しかし、やがてバブル時代も去り、なかなかいい作品が描けない彼女は挫折感を味わい、成り行きのような結婚をしてしまいます。こうして結婚や出産、離婚などの人生経験を重ねて、七転び八起きの人生を歩む鈴愛ですが、その瞳から希望の光が消えることはありませんでした。
●制作【作】北川悦吏子【音楽】菅野祐悟【語り】風吹ジュン【主題歌】星野 源

【出演】永野芽郁、松雪泰子、佐藤 健、原田知世、谷原章介、小西真奈美、中村倫也ほか
●エピソード
　劇中に出てくる昭和から平成初期の懐かしいグッズが話題になり、祖父を演じた中村雅俊がさまざまな時代の名曲をギターで弾き語るシーンも人気を呼びました。永野芽郁はオーディション初参加で2,300人の中からヒロインを射止めた、ラッキーガールです。

7 月 5 日㊊	天気	行事	
	気温　　　℃		

穴子の日

7 月 6 日㊋	天気	行事	
	気温　　　℃		

サラダ記念日

「やまなしブランド」の牽引役を紹介します

　山梨県では、ブドウ・モモ・スモモをはじめ、多くの果物が作られているフルーツ王国です。太陽の光が燦々と降り注ぎ、清らかな水が流れる大地からは、魅力あふれる高品質な農畜水産物が生産されています。その中からこれからの「やまなしブランド」を牽引するイチオシをご紹介いたします。

〈ブラックキング®〉
　大粒で着色良好な紫黒色のブドウで、2018年

に品種登録された山梨県のオリジナル品種です。1粒が20ｇを超える大きさで、キングの名に相応しい房姿です。口に含むと瑞々しい果汁が溢れる大変美味しいブドウで、8月上中旬に出荷が始まります。

〈やまなしジビエ®〉
　山梨県では「やまなしジビエ（シカ肉）認証制度」を創設し、安全安心な「やまなしジビエ」の認証をしています。シカ肉は他の食肉と比べ

7 月 7 日㊌	天気		行事
	気温	℃	

七夕、小暑

7 月 8 日㊍	天気		行事
	気温	℃	

質屋の日、中国茶の日

て脂肪が少なく、低カロリー高タンパクで鉄分も多いヘルシー食材です。変化する自然環境の中で育まれたシカ肉は、季節により味わいが違うのも特徴の一つです。

〈富士の介®〉

　キングサーモンの美味しさとニジマスの育てやすさを併せ持つ県オリジナルの魚です。キングサーモンの血を引く魚は全国で唯一で、きめ細かな肉質、ほどよくのった上品な脂、豊かな

うまみが特徴の新たなブランド魚で、山梨の名水で育まれた極上な味わいを堪能できます。

　山梨県は令和元年に「ワイン県」宣言をしました。県産ワインと「やまなしブランド」農畜水産物は相性も抜群です。是非山梨にお越しになり、ワインとのマリアージュをお楽しみ下さい。

（山梨県農政部　販売・輸出支援課）

7 月 9 日㊎	天気		行事
	気温	℃	

7 月 10 日㊏	天気		行事
	気温	℃	

納豆の日、新月

プール

太陽を蹴って泳いでいるプール　西村　芳川

　夏休みになると公共の屋外プールや学校のプールは子供達の歓声に包まれる。多少の雨などは関係がない。公園内のプールなどはテントが張られて家族ぐるみの憩いの場になる。

　だが、昨年は歓声が消えた。新型コロナウィルスの感染予防からプールは閉鎖された。未曽有の事態であった。

プールから子どもの声が消えた夏　橋岡進一

　夏休みを謳歌するにぎやかさに溢れてほしい

ものだ。子供たちの元気な姿があってこそ夏といえる。

リハビリのプールも水着カラフルよ　苅谷たかし

　福祉施設内に設置されたプールも多い。高齢者も多く、プール内で歩いたり、泳いだりとさまざまである。健康維持やリハビリに役立っている。若やいだ声が飛び交うのも明るさを倍加している。次のような人もいる。

身内にはないしょプールで泳いでいる　宮内恵光

　帝政ローマ時代に作られた壮大な公衆浴場に

7 月11日🔴	天気		行事
	気温	℃	

初伏、庚申、真珠記念日

7 月12日㊊	天気		行事
	気温	℃	

洋食器の日

は、冷水の浴室があり、これがプールの祖型だろうといわれる。日本では、大正4（1915）年頃、大阪府の茨城中学校が近くの川から取水して、長さ約42m、幅約27の板囲いプールを作ったが、これが先駆けとされる。

五十年前はプールも兼ねた川　　二　宮　茂　男
浜育ちプールの水を重たがり　　浅倉炎太郎

　海水には浮力があり泳ぐのが楽だ。半世紀前はプールも少なく、川が泳ぐ場所だった。

ダイビング雲もいっしょに見上げられ　原　泰　治

競泳用プールには、長さ50mの長水路と25mの短水路がある。他に水球や飛び込み専用のプールもある。平成4（1992）年のバルセロナオリンピックで金メダルをとった岩崎恭子さんは中学生だった。

プールサイドで泣いていた子の日本新
　　　　　　　　　　　　　杉　森　節　子

（NHK学園川柳講師　橋爪まさのり）

7 月13日㊋	天気		行事
	気温	℃	

盆迎え火

7 月14日㊌	天気		行事
	気温	℃	

検疫記念日、パリ祭

魚庭あこう　〜「魚庭あこう」のブランド化の取組み〜

　あこうは、クエと同じハタ科の魚で、正式な名前はキジハタです。身はほんのりと美しい桜色をしており、上品な中にもしっかりとした味わいのある旨みが特徴です。大阪では「冬のふぐ、夏のあこう」とふぐと並び称され、夏を代表する高級魚です。

　あこうは、数が減り、一時は幻の魚となっていましたが、府や研究機関等が連携して行う稚魚の生産・放流や、漁業者が自ら行う小型魚（28cm以下）再放流の取組みの結果、近年漁獲量が回復してきました。

　復活してきたあこうの販路を都市部の飲食店に拡げようと、平成29年度に料理店に意見を聞くと、「はもに代わる夏場の高級魚がないので、あこうを使いたいが、お客様がご存じないのでメニューにしづらい」との意見があり、知名度向上が課題であることが分かりました。

　そこで、平成30年5月に漁業者の話し合いで、一定の基準（全長35cm以上かつ重さ600ｇ以上など）を満たすもののみを「魚庭（なにわ）あ

7 月15日㊍	天気		行事
	気温	℃	

ぼん、中元、甲子

7 月16日㊎	天気		行事
	気温	℃	

盆送り火、国土交通デー、賽日、藪入り、閻魔詣り

こう」の名称で統一して出荷し、ブランド化することに決めました。

　同年7月には、大阪市内等の高級日本料理店において、2週間の期間限定で「魚庭あこう」を味わえるフェアを開催し、300名を超えるお客様にご賞味いただきました。

　このような知名度向上の取組みの結果、令和元年6月には、G20大阪サミットのワーキングランチの魚メニューにも「魚庭あこう」が採用されました。

　今後は、2025大阪・関西万博でもたくさんのお客様に「魚庭あこう」を味わっていただけるよう、資源回復や知名度向上に取り組んでいきます。

（大阪府　環境農林水産部　流通対策室

　　　　　　　　　　　　繁下　美和子）

7 月 17 日㊏	天気		行事
	気温	℃	

7 月 18 日㊐	天気		行事
	気温	℃	

夏はおいしい「水出し緑茶」

　暑い時期になると、お湯を沸かすことが億劫になります。そんな時にお勧めしたいのが水出し緑茶です。

　冷茶という言葉を聞いたことがある方もいると思いますが、冷茶には２種類あることはご存知でしょうか。一つは、お湯で淹れたお茶を冷やしたもの。そして、もう一つが、冷たい水で淹れたお茶＝水出し緑茶です。

　水出し緑茶の作り方は、ポットに茶葉と冷たい水（水道水や氷水など）を入れ、冷蔵庫に１時間以上置いておくだけです。冷たい水に溶出してくる成分は１時間でほぼ葉から出切ってしまいます。そのため、一晩おいても味はそれほど変わりません。お湯で淹れた場合、お湯の温度と茶葉を浸す時間を間違えると渋くて飲みづらくなってしまうことがありますが、水出し緑茶ではそんな失敗はありません。

　お湯で淹れた緑茶と水出し緑茶の大きな違いは、水出し緑茶では渋いカテキンであるエピガロカテキンガレートとカフェインが減ることで

7 月19日（月）	天気	行事
	気温　　　℃	

📛海の日　　　土用

7 月20日（火）	天気	行事
	気温　　　℃	

　　　　　　　　　　　　　　　　　　　　　　　　　　　　　　　　　　　ハンバーガーの日、己巳

す。その他の渋くないカテキンやカテキン以外のポリフェノール、テアニンなどのアミノ酸の量は大きく変わらないため、旨味を感じやすいお茶になります。

　夏場は脱水になる危険や、体温が上がりすぎてしまう危険があります。冷たい水出し緑茶をこまめに摂取することでこのような危険を減らすことができます。

　興奮作用のあるカフェインの量がお湯で淹れた時の約半分になるため、テアニンの抗ストレス作用も働きやすくなり、また、研究中のエピガロカテキンやその他ポリフェノールも十分摂取することができます。注意していただきたいことは、水出し緑茶の保管は冷蔵庫、そして、作ったら1日以内に飲み切って下さい。

（農研機構　果樹茶業研究部門

　　　　　　　　物部　真奈美）

7 月 21 日㊌	天気		行事	
	気温	℃		

中伏

7 月 22 日㊍	天気		行事	
	気温	℃		

大暑、下駄の日

かるかん・かるかん饅頭　～シラス大地が生んだ代表銘菓～

　鹿児島の銘菓として知られる「かるかん(軽羹)」は、かるかん粉(米粉の一種)とシラス台地に多く自生している自然薯(山芋)、砂糖、水を使い、蒸して作ります。

　名前の由来は、諸説ありますが、「羹」という漢字から大陸由来のものと考えられ、生地を蒸し上げると、蒸す前よりも軽くなることから「軽羹」と書き、「軽い羹(羊羹)」という意味からきているといわれています。

　初めて文献に登場したのが江戸時代の1699年で、島津家二十代綱貴公の祝いの席に出されたのが最も古い記録となっています。

　その後、日本の近代化の礎になる事業に取り組んだ薩摩藩第十一代藩主であった島津斉彬公が、江戸から明石出身の菓子職人・八島六兵衛翁(明石屋初代)を招き入れ、地元の食材を使い、独特の食感を生み出す現在の製法が考案されました。

　また、島津家の江戸屋敷で接待菓子として出され、全国に広まったと思われます。

7 月23日㊎	天気		行事	
	気温	℃		

ふみの日

7 月24日㊏	天気		行事	
	気温	℃		

地蔵盆、満月

　今では鹿児島のお土産は「かるかん」と言われるほど全国共通語ですが、原料である砂糖は、奄美地域や琉球で作られていたものの、江戸時代は庶民とは縁遠い貴重なものでした。このため、大名家の婚礼やお祝いの席にのみ出されていた格式高いお菓子で、庶民にまで広まったのは明治時代に入ってからだといわれ、今でも冠婚葬祭などの贈答菓子に多く用いられています。

　最近は、あんを入れた「かるかん饅頭」がお土産として多く食べられるようになりました。

資料提供「御菓子司　明石屋」軽羹百話

（農林統計協会　賛助会員　中尾　兼三）

7 月25日 ㊐	天気		行事	
	気温	℃		

<space
>うま味調味料の日

---

7 月26日 ㊊	天気		行事	
	気温	℃		

睡眠について　睡眠時無呼吸症候群

　睡眠時無呼吸症候群は、睡眠中に頻繁に呼吸が止まる病気です。1時間に10秒以上の呼吸停止が5回以上ある人は、睡眠時無呼吸症候群といわれています。

　睡眠中に呼吸停止が繰り返されることで、身体の中の酸素が減っていきます。そして酸素不足を補おうと、身体は心拍数を上げます。寝ている本人には自覚がありませんが、身体には大きな負担がかかり続けている状態になります。

　この病気の主な症状としてよくいわれるの

は、「激しいいびきをかく」ということです。ですので、いびきをかいている本人は意識が無いのでわかりませんが、家族がそのいびきの不自然さ、激しさなどに気づき、本人を促して専門外来に診察に行くケースが多いようです。

　こうした、いびきや無呼吸はなぜ起こるのでしょうか。

　通常、人は寝ていても鼻や口から入ってきた空気は自然にのどを通過し、気管や肺に入っていきます。しかし、肥満などが原因でもともと

7 月27日㊋	天気	行事
	気温　　　℃	

7 月28日㊌	天気	行事
	気温　　　℃	

土用の丑

気道が狭い人は、狭い気道を通して空気が入っていきます。この時に「いびき」が発生します。さらに息を吸い込む時の圧がかかると、完全に気道が塞がってしまうのです。

どのくらいの頻度で無呼吸の状態が生じているのかを確かめるためには、睡眠ポリグラフィー検査を行います。これには1泊の入院が必要です。

治療法としては、肥満が原因である場合、気道が狭くなりがちなので、減量をすることが大切です。最新の治療法として、ＣＰＡＰ（シーパップ）療法というのがあります。これは患者の気道閉塞の度合いに合わせた空気圧を鼻マスクによって気道に送りこみ、これによって喉の組織を広げ、舌を押し上げて気道をあけ、無呼吸の発生を防ぎます。いまはこの治療法が一般化しています。

7 月29日㊍	天気		行事	
	気温	℃		

アマチュア無線の日

7 月30日㊎	天気		行事	
	気温	℃		

梅干の日、プロレス記念日

一色産うなぎ　～職人が手がける養殖だからおいしい～

　愛知県にあります西尾市一色町は三河湾に面し、一級河川矢作川の三角州先端部にあります。三河湾はアサリやノリなどの海産物が取れる豊かな海ですが、堤防を挟んだ沿岸部には100軒近くのビニールハウスが並び、うなぎの養殖が行われております。当地でのうなぎ養殖の歴史は古く、今から100年以上前の明治37年に水産試験場が設置された事から始まります。その後、民間の養殖場が広まっていきますが、今日のような大規模な産地化が進んだのは、今から約60

年前に発生した伊勢湾台風による甚大な高潮被害の影響があります。

　塩害で沿岸部の田畑が使用できなくなったため、当時の一色町が主導のもと、それらを養殖場に転換した事により飛躍的に拡大していきました。その結果、現在、愛知県のうなぎ生産量は約3,500トンと全国で第2位となっており、その中でも一色地区は約2,800トンと県内生産量の8割を誇っています。

　当地のうなぎ養殖の大きな特徴としては

7 月 31 日㊏	天気	行事
	気温　　　　℃	

下弦の月

コラム

一番腐りやすい肉は？

　肉、野菜、魚など、生の食物は放置しておくと、いずれ腐りはじめます。それでは、牛肉、鶏肉、豚肉のなかで最も腐りやすいのはどれでしょう？答えは、鶏肉が一番腐りやすいのです。逆に腐りにくいのは牛肉です。

　腐りやすさは、鶏肉、豚肉、牛肉の順。ではなぜ鶏肉が一番腐りやすいのか。

　肉は主に水分、タンパク質、脂質などから成っていて、鶏肉が最も水分が多く、次に多いのが豚肉で、牛肉はこの３種のなかでは一番水分が少ないの

です。水分が多いと細菌の繁殖がしやすくなり、腐敗も早まります。そのため、水分量が最も多い鶏肉が腐りやすいのです。

　加工肉では、ひき肉、スライス肉、ブロック肉の順に腐りやすい。これは酸素が関係していて、細かいひき肉は、最も空気に触れるため、酸化しやすく腐りやすいのです。

「水」があります。全国的に、うなぎ養殖は地下水が使用されておりますが、当地では、矢作川水系の河川水を取水し、ポンプを使い総延長約100kmの養鰻水道にて各養殖池に送水しております。また、他地域では池の作りは全面コンクリートが多い中、当地では底面を土と砂利で作っており、うなぎが本来生息している天然河川により近い環境で養殖しております。

　長い歴史の中で培われた養殖技術により、一色町では種苗であるシラスウナギの池入れか

ら、早期で出荷される「新仔うなぎ」が主力となっております。身は脂が乗り、皮は柔らかい上質のうなぎとなっております。ぜひご賞味ください。

（一色うなぎ漁業協同組合　鈴木　健太）

素足で靴を履くと冷え性になる

　近頃、若い人たちが素足で靴を履いている姿を見かけます。サンダルに限らず、スニーカーのときも靴下を履かない人が多いようですが、これは一見体に良いようで、体を冷やす原因になります。

　冷えによる血行不良は、私たちの体に様々なマイナスの影響を及ぼします。

　体が冷えると胃腸の消化能力が悪くなります。そうなると血液を作るための栄養が不足して赤血球などが減り、貧血を起こしやすくなります。貧血になると、めまいや立ちくらみ、顔の色や唇の色が悪くなるなどの症状があらわれます。

　裸足でいる方が健康的であるようなイメージがありますが、一概には言い切れません。顔色が悪くなっては、かえって不健康に見えてしまいます。

　冷え性が、男性に比べて女性に多いのは、薄着やミニスカート、素足といった要因が関係しているかもしれません。「きれいになりたい、きれいに見られたい」は、女性にとって普遍のテーマかも知れませんが、冷えによって血行が悪くなると、体内の新陳代謝が滞り、シミやしわが増える原因にもなりかねません。真の美しさを保つためには、冷え性にならないようにすることが大切です。

　靴下の役目として、足を衝撃から守る緩衝材のほか、保温効果があります。また、汗を吸収して発散させ、足底の通気性を良くする働きもあります。足先は心臓から一番遠い所にあり、血行が悪くなりやすいところです。冷え性になるとさらに足先や足底の血行が悪化してしまいますので、健康のために靴下を履いて靴を履くように心がけて下さい。

参考図書「あなたの健康常識は間違っているやってはいけない」㈱アントレックス

脳を活性化して、アルツハイマーを予防

　いつも同じ行動パターンをしている人は脳の老化が早まる可能性があります

　アルツハイマーは認知症の一つで、65歳以上の高齢者に発症することが多く、誰でもそのリスクを持っていますが、発症を遅らせるためには、普段の行動パターンを見直すことが効果的だと言われています。

　意識的に脳に刺激を与えることで、脳は活性化します。そしてこのことがアルツハイマーの予防になります。

　例えば健康のために散歩をする場合、いつもコースを決めている人がいます。しかしこれではせっかくのウォーキングの効用が半減してしまいます。コースを決めないで、探検をするつもりで色々な道を歩くことが、認知症の予防になるのです。

　いつもと違う道を歩くことは体の動きにも影響します。いつものコースは体も覚えているので、何も考えないで、いつの間にか自宅に戻ることの繰り返しになります。

　ところが、初めての道をワクワクドキドキしながら進むと、「これからどんな光景が現れるのか」「どうやって戻ったらよいか」を考えつつ行動し、体感し、また、周りの動きにも注意を払うでしょう。これから何が起こるか想像しながら行動することは、高度な脳の機能が必要になります。これが良い意味で脳の刺激になるのです。

　普段の生活の中で脳を積極的に働かせることは、認知症の予防につながります。いつも同じ時間に同じ風景を見て、同じ道を歩いていては、脳は活性化されません。脳を楽させてしまうと老化が進みます。今まで経験のないことにチャレンジする探究心が、若々しくいられるコツではないでしょうか。

　参考図書
　　「あなたの健康常識は間違っている
　　　やってはいけない」㈱アントレックス

8月
August

竿　燈
（秋田県秋田市）

●月　　相●

○満　　月	22日
●新　　月	8日

8月の花き・園芸作業等

花　き

パンジー、デージーの播種。キク福助作りのための挿し木とわい化剤処理。花壇、鉢植え、庭木への追肥。サルビア、マリーゴールド、コスモス、ダリアなど花壇草花の切り戻しと挿し木。秋バラのための夏剪定。庭木、鉢物の台風対策。

野　菜

ダイコン、20日ダイコン、カブ、早生菜類、チシャ、ミツバの播種。セルリ、チシャの定植。菜類、ダイコンの間引き。キュウリ、ナス、ホウレン草、スイカ、ネギ、キャベツ、ショウガの収穫。ダイコン類、菜類、ネギ類、ニンジンの病害虫防除。

果　樹

ナシ、モモ、ウメ、ミカン、リンゴの芽接ぎ。リンゴ、ナシの袋はぎ。ミカン、カキの追肥、灌水。ビワの播種。早生ナシ、早生リンゴ、モモ、ブドウ、カキ、リンゴの病害虫防除。果樹園の除草。

8月 暦と行事予定表

	節 気 ・ 行 事	予 定
1 （日）	水の日、観光の日	
2 （月）	カレーうどんの日	
3 （火）	鋏の日	
4 （水）	箸の日	
5 （木）	タクシーの日	
6 （金）	広島平和記念日	
7 （土）	立秋、鼻の日	
8 （日）	算盤の日、パチンコの日、新月	
9 （月）	長崎原爆の日	
10 （火）	末伏、帽子の日、道の日	
11 （水）	▣ 山の日	
12 （木）		
13 （金）	月遅れ盆迎え火	
14 （土）		
15 （日）	月遅れ盆、終戦記念日、全国戦没者追悼式	
16 （月）	月遅れ盆送り火、上弦の月	
17 （火）	パイナップルの日	
18 （水）	｜めし上－ドングの日	
19 （木）	俳句の日	
20 （金）		
21 （土）		
22 （日）	チンチン電車の日、満月、旧盆	
23 （月）	処暑	
24 （火）		
25 （水）	即席ラーメン記念日、東京国際空港開港記念日	
26 （木）		
27 （金）		
28 （土）	天赦日、民放テレビスタートの日	
29 （日）	焼き肉の日	
30 （月）	富士山測候所記念日、冒険家の日、下弦の月	
31 （火）	二百十日、野菜の日	

夏の種まき（2）

お盆を過ぎると高気圧は勢力を弱め、降雨が期待できますので、種まきなどの作業を始めましょう。しかし、8月は台風、大雨など気象災害の多い季節になります。

①気象災害の対策
高畝と排水の改善　水田転換の畑など水が溜まりやすい畑では、高畝にします。菜園から速やかに水が引くように、畝間と菜園の周囲に排水溝を作っておきましょう。
べたがけ　不織布のべたがけは、ダイコン、コマツナなど直まきする野菜の幼苗保護に有効です。また、畑に植え付けた苗を強風から守るにも効果的です。
土寄せ　台風が予想されるときには間引きを延期し、子葉の下まで土寄せします。大きな株では株元に十分な量を土寄せし、株のぐらつきを防ぎます。

②病害虫の予防
苗立枯病は高温多湿下で発病し、茎の地際部が侵されて立ち枯れます。汚染のない新しい育苗培土、太陽熱消毒をした培土を使いましょう。育苗期、幼苗期には防虫ネットやべたがけを必ず行いをましょう。

③まき直し
高温・乾燥や病虫害、大雨により種が流されるなどで、発芽に失敗することも起こります。秋野菜の種まき適期は意外と短く、遅まきになると冬までに収穫が間に合わなくなる恐れがあり、すぐにまき直しを考えましょう。ハクサイ、レタスは低温期に入るまでに一定の葉数が確保された後、球を形成します。そのため、遅まきやまき直しのときは、低温伸長性があり、低温期でも結球性のよい品種を選びましょう。

（神奈川県種苗協同組合　成松次郎）

漢方

知っておきたい漢方薬　その4
のぼせによく効く漢方薬

蒸し暑い昨今、ただでさえやっかいな「のぼせ」が、さらに不快に感じられる季節でしょう。

今年は漢方薬で、のぼせの解消を図られてみてはいかがでしょうか？

漢方の考え方では、身体がカーッと熱くなるこの症状は、身体を温める作用のほうが、身体を冷やす作用より強くなりすぎている状態と判断し、大きくわけて3つののぼせがあると考えています。

まずはもともと身体を温める作用が強い体質の人です。こうした人は太り気味で普段から暑がり。ちょっと身体を動かしただけでも、滝のような汗を流したりします。高血圧や動悸、便秘などの症状がある人も多いようです。

このタイプののぼせには、身体の熱を冷ます防風通聖散（ぼうふうつうしょうさん）がおすすめです。

夜、特に午後からにかけてのほてりは、身体の陰と陽のバランスが崩れ、陽が活発になりすぎている状態です。突如としてのぼせが始まり、みるみるうちに顔が赤くなるのもこのタイプの特徴。わけのわからないいらつきや不眠などを伴うことが少なくありません。更年期の女性に多い症状でもあります。このタイプには、天王補心丹（てんのうほしんがん）がよく効きます。耳鳴りやいらいらがある時には、知柏地黄丸（ちばくじおうがん）を処方されることもあります。

ほてりと同時にいらいらして怒りっぽいのは、内臓の「気」が停滞しているのが原因です。めまいや耳鳴り、手足のほてりを感じている場合も多く、更年期からくるほてりもこのタイプののぼせとされます。このタイプには、加味逍遙散（かみしょうようさん）をすすめられることが多いでしょう。顔はのぼせるのに下半身は冷える人には、女神散（にょしんさん）が処方されることもあります。

（ライター　千羽　ひとみ）

8 月 1 日㊐	天気		行事	
	気温	℃		

水の日、観光の日

8 月 2 日㊊	天気		行事	
	気温	℃		

カレーうどんの日

スイカの「種子」の販売シェア日本一　〜奈良県から全国の農場へ〜

　夏に欠かせないスイカは熊本県、千葉県等が有名な産地ですが、実は全国で販売されているスイカの「種子」の約8割は奈良県内の種苗会社から供給されています。

　奈良県はかつて、スイカの名産地でした。

　この頃の奈良の西瓜は「大和西瓜」と呼ばれ、山辺郡稲葉村（現・奈良県天理市）に住んでいた巽権治郎氏が行商先から持ち帰った「権治西瓜」とアメリカから導入された「アイスクリーム」の自然交雑の中で誕生しました。

　しかし、当時の「大和西瓜」は、品質や形状が雑駁（ざっぱく）であったため、奈良県の農業試験場では、優良系統を純系選抜し、品種育成を行い、産地の発展を支えてきました。さらに県では、新たに雑種強勢を利用した一代雑種による育種に初めて取り組みました。こうして誕生した「新大和」は、果菜類の実用的な一代雑種の品種としては画期的なものであり、園芸育種界において高く評価されました。この「大和」系は肉質、食味が優れているだけなく、果皮が

8 月 3 日 ㊋	天気	行事
	気温　　　℃	

鋏の日

8 月 4 日 ㊌	天気	行事
	気温　　　℃	

箸の日

丈夫で運搬の際に割れにくいことから人気を博し、全国に名を馳せました。
　昭和30年代までは、大消費地である大阪に近いこともあり奈良県は全国有数のスイカの生産地でしたが、交通手段の発達等により、他府県でもスイカの生産が盛んに行われるようになりました。
　奈良県で長年培われた高い育種技術は県内の種苗会社に引き継がれ、現在に至るまで行われてきた品種の開発や産地への種苗供給により、奈良県は日本一のスイカの「種子」の供給率を誇る県になりました。

（奈良県　食と農の振興部
　　　　　豊かな食と農の振興課）

8 月 5 日㊍	天気		行事	
	気温	℃		

タクシーの日

8 月 6 日㊎	天気		行事	
	気温	℃		

広島平和記念日

樹木苗木の病害管理

　農作物と同様に、樹木も病気に悩まされます。国内の人工林面積の約44％を占め、日本で最も植栽されているスギは、我々にとって身近な樹木の1つです。

　現在、国内の人工林の多くが伐採の時期を迎えており、再造林のためにスギ等の造林木苗木の需要が高まっています。

　林地に植栽するためのスギの苗木は、農作物のように畑で、または、最近ではマルチキャビティコンテナと呼ばれる容器で育てられます

が、長い寿命をもつ樹木でも、芽生えから苗木の頃は病害虫などによる被害を受け易い時期といえます。その中でも、スギ苗木にとって最も厄介な病害は、パッサローラ・セコイアエというカビによって引き起こされる赤枯病です。

　本病に罹ってしまったスギ苗木は、ひどい場合には枯死してしまいますが、生き残ったとしても、主軸部（幹）に感染がある場合には、苗木の成長とともに幹に縦溝が形成される病害（溝腐病）に進展し、木材としての価値が著し

8 月 7 日㊏	天気	行事
	気温　　　　℃	

立秋、鼻の日

---

8 月 8 日🈰	天気	行事
	気温　　　　℃	

算盤の日、パチンコの日、新月

く低下してしまいます。

　スギ苗木の需要の高まりに伴い、赤枯病の流行が懸念されています。被害の拡大を防ぐために、病原菌の遺伝情報を利用した迅速な診断技術の開発や、より省力的で効力の高い防除技術の開発が進められています。

　利用目的にもよりますが、植栽したスギが木材として収穫されるまでに通常40〜50年を要します。50年先の木材の価値を損なわないために、苗木時代の病害管理も重要になるのです。

（〔国研〕森林総合研究所　安藤　裕萌）

8 月 9 日㈪	天気		行事	
	気温	℃		

長崎原爆の日

8 月 10 日㈫	天気		行事	
	気温	℃		

末伏、帽子の日、道の日

コチの洗い　～見栄えは悪いが味は絶品～

　真夏の旬の魚にコチを挙げる人は、よほどの食通と言えます。上下に平たい体形、でっかい頭、細身の尾……。

　見栄えは悪いが、魚肉を薄く切り、冷水にさらして食べると、これが絶品。冷酒を片手に味わいたい欲望に駆られます。

　グロテスクな頭はスープの出汁になり、あっさり味は「これがコチ？」と驚くうまさです。

　是非一度、島根のコチをご賞味下さい。

【材料】

　オニコチ：1匹（400g程度）

【作り方】

①背びれは注意しながら、鋏で切り落とす。
②頭を落とす。
③三枚におろす。
④皮を取り除く。
⑤おろした身を薄く切る。
⑥冷水に浸して出来上がり。

| 8 月11日㊌ | 天気 | 行事 |
| | 気温　　　　℃ | |

📷 山の日

| 8 月12日㊍ | 天気 | 行事 |
| | 気温　　　　℃ | |

【ワンポイントアドバイス】
　コチは釣り針状に曲がった硬い骨が3本あり、3枚におろした後に取り除く。
　残った頭、骨、皮は吸い物にする。頭の骨は小さく切り、強めに塩をまぶす。5分後に流水で洗い、沸騰させた湯に入れて、あくを取りながら、薄口しょうゆ、酒で味を整える。豆腐と針ねぎ、または香り野菜で出来上がり。ショウガ汁をポトリと落とすと、ひと味違う。

（島根県郷土料理研究家　橋本　勝正）

8 月13日㊎	天気	行事
	気温　　　℃	

月遅れ盆迎え火

8 月14日㊏	天気	行事
	気温　　　℃	

にんじん

偏食の子へ人参の微塵切り　　　赤松喜美子

　にんじんを嫌う子供は多い。嫌いな理由のトップは特有の甘味とカロチンが生みだす匂いにあるようだ。カロチン含有量の多いことが、にんじんの魅力の第一でもあるのです。

人参もピーマンも嫌い　雀と遊ぶ　　佐藤純一

　ピーマンは唐辛子の仲間だが、子供には好まれない野菜に数えられているようだ。

にんじんの赤がときにはうとましい　光森　良

　明治以前のにんじんは赤が濃かった。明治に入って西洋系のにんじんが入り、選別や交配の中からオレンジ色で、短め目のものになってきた。これは生産や流通で短い方が扱いやすく、品種改良をすすめた成果である。

　赤いにんじんとして、今も栽培されているのは「金時にんじん」。鮮やかな紅色で東洋系にんじんの代表格。カロチンを含まないので、にんじん臭も強くなく、煮ものやなますなど酢のものに向く。正月料理の食材として出回っている。

人参の紅こなゆきに染まりそう　　田向　秀史

8 月15日㊐	天気		行事	
	気温	℃		

月遅れ盆、終戦記念日、全国戦没者追悼式、旧盆

8 月16日㊊	天気		行事	
	気温	℃		

月遅れ盆送り火、上弦の月

ごった煮の人参離さない色気　　加藤不惑美子

　日本では昔から栽培されているが、江戸時代に将軍徳川吉宗が全国から野菜の種子を集めて試作させたが、滝の川で良質のものが生まれ「滝の川にんじん」と呼ばれた。この時「金時にんじん」も推奨された。

カレーライスから人参を取除ぞく　　木下昭夫

　大人でも、にんじん嫌いがいるようだ。

人参の嫌いな保母に励まされ　　西　沙英子

　保母さんに励まされながら、にんじんを食べ

る園児。保母さん自身も一緒ににんじんを口に運びながらに違いない。園児の中には、にんじんが好きという子もいる。

人参が好きという子を抱きしめる　　下原てい子

　好き嫌いだけで判断していられなくなった。生まれてくる赤ちゃんのためにもと決意する。

人参も好きにならねば母となる　　真島美智子

（NHK学園川柳講師　橋爪まさのり）

8 月 17 日㊋	天気	行事	
	気温　　　　℃		

8 月 18 日㊌	天気	行事	
	気温　　　　℃		

米の日、ビーフンの日

宝石果実「伊台・五明こうげんぶどう」

宝石のような　芸術のような

　紫黒の艶やかな輝きと芳醇な香り、そして濃厚な甘み。美をまとうニューピオーネは、まさに生産者が作り上げた芸術品。さぁ、ひと粒お口へ。パンっと張り裂けた皮から、ジューシーな果肉と果汁が飛び出してきます。

標高250mの土地で

　松山市の「まつやま農林水産物ブランド」に認定される「伊台・五明こうげんぶどう」は、標高約250mの土地から生まれた至極の一品で

す。花崗岩の土壌や昼夜の気温差等の立地条件を活かし、ニューピオーネのほかに、シャインマスカットや藤稔、ブラックビートなどを栽培。その品質の良さから高い人気を集めています。

愛される果物

　子どもたちも大好きな、こうげんぶどう。地元小学校では校庭に植えたニューピオーネの樹をみんなで管理しています。毎年9月に行われるJA主催の「ぶどう果実品評会」にも、もちろん出品。90年以上の歴史を持つ農産物として、

8 月19日㊍	天気		行事	
	気温	℃		

俳句の日

8 月20日㊎	天気		行事	
	気温	℃		

交通信号の日

地域の人々に大切にされています。

さまざまな形で味わう

　その美味しさは生果に留まらず、さまざまな加工商品としても愛されています。特に印象深いのが2019年、江戸時代から同市内で続くとされる老舗和菓子店がニューピオーネを使った羊羹を開発し数量限定で発売。わずか数日で完売するほどの人気ぶりでした。

初秋の味覚を

　JAえひめ中央では、7月中旬から収穫をスタート。10月頃まで出荷が続きます。ぜひ、高品質な「伊台・五明こうげんぶどう」をご賞味ください。

　「伊台・五明こうげんぶどう」の詳しいお問い合わせ先は、JAえひめ中央果実販売課（Tel: 089・943・5010）まで

　　　　　　　　（JAえひめ中央　清家　璃奈）

8 月21日㊏	天気		行事	
	気温	℃		

8 月22日㊐	天気		行事	
	気温	℃		

チンチン電車の日、満月

春まきタマネギの腐敗病対策　栽培中のネギアザミウマ防除が重要

　東北地域の春まきタマネギ作は、水田のフル活用を目指す取り組みの一つとして進められ、水田転換畑などに拡がっています。3〜4月に苗を定植し、7〜8月に収穫するため、国内産タマネギの端境期に出荷できます。

　しかし、栽培期間が高温多湿となる梅雨時期に重なるため、病害虫の被害を受けやすい作型です。また、一見問題なくタマネギが収穫できたとしても、貯蔵中に腐敗する病害があります。東北地域では細菌病の一つである「タマネギ腐敗病」（写真）が見られます。

　農研機構東北農業研究センターでは、東北各県と連携して春まきタマネギの栽培を拡大するための研究に取り組み、「東北地域における春まきタマネギ栽培マニュアル」をまとめました。この中でタマネギ腐敗病への対策を紹介しています。

　タマネギ腐敗病の防除には栽培中の薬剤散布が重要です。特に、害虫であるネギアザミウマの発生が多いと、その後、タマネギ腐敗病が多

8 月 23 日 ㊊	天気		行事	
	気温	℃		

処暑

8 月 24 日 ㊋	天気		行事	
	気温	℃		

くなります。そのため、各種細菌病に対する殺菌剤散布とともに、ネギアザミウマに対する殺虫剤散布が必要です。ネギアザミウマの初発が見られたら殺虫剤散布を開始し、梅雨時期からは殺菌剤の予防散布も行い、いずれも収穫直前まで継続します。具体的な薬剤名等は、当センターのホームページでマニュアルを公開しているので、ご参照ください。

https://www.naro.affrc.go.jp/publicity_report/publication/pamphlet/tech-pamph/134247.html

（農研機構　東北農業研究センター

永坂　厚）

8 月25日㈬	天気		行事	
	気温	℃		

即席ラーメン記念日、東京国際空港開港記念日

8 月26日㈭	天気		行事	
	気温	℃		

みやぎの郷土料理「おくずかけ」～夏野菜たっぷりのやさしい味～

「おくずかけ」は、乾しいたけのだしをきかせた汁で人参や豆腐、油揚げ、豆麸などを煮込み、白石温麺（しろいしうーめん）を加えて、片栗粉でとろみをつけた汁物です。

春秋の彼岸やお盆の代表的な精進料理として古くから県内各地で親しまれています。彼岸やお盆には餅や五目飯なども作られるので、それにおくずかけを組み合わせると十分に食膳を満たすことができました。具材に野菜をふんだんに使うので、夏バテしやすい時期にバランス良

く栄養をとることができます。とろみがあり、食べやすいので、野菜が苦手という人にもおすすめです。

遠田地方には、材料や作り方がよく似た「スッポコ」という料理が伝えられています。おくずかけが年中行事の時の家庭料理であるのに対して、スッポコは葬式や法事の本膳の後に、裏方をしてくれた人を労うために作られる料理とされています。

桃生地方の「のっぺい汁」など、他の地域で

8 月27日㊎	天気		行事
	気温	℃	

8 月28日㊏	天気		行事
	気温	℃	

天赦日、民放テレビスタートの日

も材料や作り方が似ている料理があり、行事や仏事だけでなく日常の食事や夜食として大正時代頃から伝えられ、広く親しまれています。

　ちなみに、「白石温麺」は和紙、葛粉とともに「白石三白」として知られています。その昔、胃病の父を心配した孝行息子が、旅の僧から油を使わず胃に負担をかけない麺の作り方を教わり、小麦粉と塩水だけで作った麺を父に食べさせたところ、食欲が戻りたちまち回復したというエピソードが温麺の始まりと伝えられていま

す。そうめんより短いので茹でやすく、保存がきく乾麺であることから、お盆の贈答品としても重宝されています。

（宮城県農政部食産業振興課

稲垣　ゆほ）

8 月29日㊐	天気		行事
	気温	℃	

焼き肉の日

8 月30日㊊	天気		行事
	気温	℃	

富士山測候所記念日、冒険家の日、下弦の月

今も心に残る連続テレビ小説ランキング⑧

視聴者投票の8位は、ちょっと引っ込み思案な主人公が落語家をめざすという異色のストーリー「ちりとてちん」でした。

これまでのヒロインがいつも元気でポジティブだったのに対して、主人公の喜代美はネガティブ思考が目立つ「ヘタレ・キャラ」。

そのヒロインの成長を喜劇仕立てで描く本作は、伝統の継承というテーマも併せ持つ、異色の作品でした。

●ものがたり

小さい頃から心配性で、何事もつい悪い方に考えてしまうのが、和田喜代美の癖でした。

同い年の親友・清海が才色兼備で社交的なのに比べて、ネガティブで将来の夢もない喜代美は、コンプレックスからますます暗くなっていきました。しかし、高校卒業を前に自分の殻を破ろうと一念発起した喜代美は、故郷の福井・小浜を飛び出して、大阪へと向かいます。そこで思いがけず出会ったのが、人に笑いを提供す

8 月31日㊋	天気	行事
	気温　　　　℃	

コラム

南極と北極はどちらが寒いか？

　南極は大陸で海に囲まれています。ところが、北極は周りを大陸に囲まれた海です。

　水は温まりにくく冷えにくい性質があり、これとは逆に、陸地は水に比較すると、ずっと温まりやすく冷えにくい性質があります。

　また、北極には氷山があっても、その高さは数10m程度ですが、南極は大陸なので何千m級の山があります。

　このような地形の違いを考えると、南極と北極の寒さの違いははっきりしてきます。南極の方が明らかに寒いのです。

　ちなみに気温が最も低くなる時期に温度を測ると、南極大陸の中心部はマイナス60℃以下になり、北極はマイナス30〜40℃程度です。マイナス30℃と聞くと大変な寒さに感じますが、これが意外と寒くありません。北極は風がとても弱いので、吹雪にでもならない限り、案外寒さはしのぎやすいのです。

る落語家という仕事でした。

　家族の反対を押し切って落語家の徒然亭草若に弟子入りした喜代美は、懸命に修業を積んで高座に上がり、やがて徒然亭若狭として一人前の噺家になっていきます。兄弟子の草々と結婚して人生の機微を知り、ますます芸にも磨きをかける喜代美でした。

●制作【作】藤本有紀【音楽】佐橋俊彦【語り】上沼恵美子【テーマ曲】松下奈緒【出演】貫地谷しほり、和久井映見、松重　豊、渡瀬恒彦、青木崇高ほか

●エピソード

　歌手・五木ひろしが本人役で数回出演し、歌謡曲ファンの話題を呼びました。

　本作のナレーションは50代の喜代美が過去を振り返るという設定で、上沼恵美子が担当しています。平均視聴率は15.9％と低かったものの、ＤＶＤの売り上げでは過去最高のセールスを記録しています。

こげた魚を食べると癌になる？

おこげと言えば釜の底に張り付いたご飯のおこげが懐かしく思い出されます。

今は皆さん炊飯器でご飯を炊くので、こげにはなかなかお目にかかれません。いまの子供たちはご飯のおこげを見たことが無いかもしれませんね。

このこげに関することわざが地方にはあるようで、こげを嫌うところもあるそうです。

「こげを食べると、婚礼のときに犬に吠えられる」「こげを食べると、婚礼の時に雨が降る」など。昔のお嫁さんは、結婚するまでにご飯をこがさないように炊けないといけないという、一つの教えのようなものだったのでしょうか？

「こげた魚を食べると癌になる」。いつからともなく、それが常識になっていますが、普通に焼き魚を食べている程度では、まず癌になる心配は要りません。

動物実験で、魚や肉のこげている部分だけを集め、通常人間が食べるであろうこげの量の1万倍相当のこげをネズミに与え続けると、確かに癌が発生します。しかし、人が普段食べている程度のこげの量を与えても、ネズミに癌は発生しません。

「こげた部分に発癌性の物質が含まれているから食べない」というのは、一理あります。しかし、日本人の食生活から焼き魚がなくなったら、随分と味気ないものになるでしょう。要するにバランスよく色々なものを食べていれば、気にすることはありません。

このほかにも、わらび、ぜんまい、ふきのとう、食品添加物、カビなどにも発がん性物質が含まれていますが、毎日、それも相当量を食べることさえしなければ、それほど神経質になることはありません。

参考図書
　「からだと食べもの、おもしろことわざ辞典」
　　　　　　　　　　　　　　　　三笠書房

土用の丑の日にウナギを食べるわけ

「ウナギは夏やせの薬」「ウナギは目の薬」ということわざがあります。ウナギは古くから人々に栄養食品として知られ、人気がありました。現在でも土用の丑の日には、普段では考えられない量のウナギが、スーパーマーケットの鮮魚コーナーを賑わしています。

土用は、立春、立夏、立秋、立冬のまえのそれぞれ18日間ですが、私たちが普通に言う「土用」とは、夏の土用を指します。

夏の土用にウナギを食べると健康に良く、夏やせを防ぐと言います。毎年7月の下旬から8月の上旬のこの時期は、1年で最も暑さが厳しく、体調も壊しがち。スタミナ満点のウナギを食べて体力維持につとめるのは、実に理にかなっています。

昔は、現代とは比較にならないほど食品が貴重で、また質・量ともに貧弱でした。ですので、栄養バランスを保つのは大変なことでした。例えば脚気や鳥目になると、なかなか治癒しませんでした。

そこで、太陽光線の強い夏の時期に体を丈夫にしておこうという昔の人々の思いが、ことわざを生みだしたのかも知れません。

ウナギの旬は7〜8月で、夏の盛りに汗を流しながら食べるウナギは、食欲増進、体力増強になります。まさに古来から伝えられた代表的「食物医学」です。

ウナギと言えばビタミンAが有名。Aが不足すると夜盲症になることは知られていますが、この他にAが極端に不足すると骨や歯の成長が止まり、成長に影響します。

ウナギにはビタミンAが大量に含まれていますが、この他に、ビタミンB_1、B_2、ナイアシン、ビタミンCなどが含まれています。

参考図書
　「からだと食べもの、おもしろことわざ辞典」
　　　　　　　　　　　　　　　　三笠書房

おわら風の盆
（富山市八尾町）

●節気・行事●

白	露	7日
二百	廿日	10日
彼岸	入り	20日
敬老	の日	20日
十五	夜	21日
秋分	の日	23日
彼岸	明け	26日
社	日	27日

●月　相●

○満　月　21日
●新　月　7日

９月の花き・園芸作業等

花　き

アイスランドポピー、ワスレナグサ、パンジー、ロベリアなど秋播き一年草の播種。テッポウユリ、スカシユリ、グラジオラスなど春植え球根の堀上げ。サボテンの接木。シャクナゲ、ボタンの株分けと植替え。常緑樹の移植。ユキヤナギ、シモツケ、アジサイなど灌木類の株分け。

野　菜

ダイコン、ハクサイ、ホウレンソウの間引き、中耕、追肥。キャベツ、ハクサイの定植。ネギの土寄せ。ナス、フジマメ、ハス、ダイコン、ハクサイ、菜類、カブ、キャベツ、タマネギ、ゴボウ、ホウレンソウの収穫。果菜類作付跡地の耕起。

果　樹

ナシの施肥。リンゴの袋はぎ。ナシの芽接ぎ。ミカン、ナシの病害虫防除。ナシ、カキ、クリの収穫。

9月 暦と行事予定表

	節 気 ・ 行 事	予 定
1 (水)	関東大震災の日、防災の日	
2 (木)	宝くじの日	
3 (金)	ベッドの日	
4 (土)	串の日	
5 (日)		
6 (月)	鹿児島黒牛・黒豚の日	
7 (火)	**白露**、新月	
8 (水)	サンフランシスコ平和条約調印記念日、桑の日、二日灸	
9 (木)	**重陽**、救急の日、食べものを大切にする日、庚申	
10 (金)	二百廿日、下水道の日	
11 (土)		
12 (日)	水路記念日、宇宙の日	
13 (月)	世界の法の日、甲子	
14 (火)	上弦の月	
15 (水)	老人の日、老人週間（21日まで）	
16 (木)	オゾン層保護のための国際デー	
17 (金)		
18 (土)	かいわれ大根の日、己巳	
19 (日)		
20 (月)	● 敬老の日、彼岸入り、動物愛護週間（26日まで）、空の日	
21 (火)	十五夜、秋の全国交通安全運動（30日まで）満月	
22 (水)		
23 (木)	● **秋分の日**、秋分、彼岸中日、テニスの日	
24 (金)	結核予防週間、畳の日、	
25 (土)		
26 (日)	彼岸明け	
27 (月)	社日、世界観光の日	
28 (火)		
29 (水)	クリーニングの日、下弦の月	
30 (木)	くるみの日	

ポリマルチとべたがけ

ポリマルチとべたかけは、手軽で安価な資材を使い、野菜の生育に大きな効果がある栽培方法です。

●ポリマルチの効果と資材

冬に透明フィルムを張ると地温が上がり、夏に光を反射する白色フィルムを使うと地温が下ります。また、雨によって肥料が流れ出ることや土が固く締まることを防ぎ、黒色フィルムは土の表面に光が当たらないため、雑草が生えません。

種類は、色、穴あきの有無など多種類の規格があり、幅は床幅に両側の裾を埋める分を加えたものを選びます。

●ポリマルチの方法

マルチをすると雨水が土に入りにくくなるので、土に湿り気があるときに張ります。ポリマルチをピンと張るコツは、ベッドをやや中高に作り、凹凸のないよう、よく均しておきます。次に、ポリマルチの両裾の部分をそれぞれ10cm程度土に埋め、風ではがされないようしっかり踏みしめておきます。

●べたがけの効果と資材

透光性と通気性のよい資材で野菜に直接被覆して栽培する方法です。ホウレンソウ、コマツナなどでは、発芽促進、防虫、保温による生長促進、エダマメ、スイートコーンなどでは種まき後の鳥害防止にも効果的です。農業用不織布（パスライト、パオパオなど）は安価で手軽に使えます。資材の幅は、床幅に資材を押さえる幅30cm程度を加えます。

●べたがけの方法

資材を直接地面や野菜の上を覆います。種まき後にべたがけする時は、地面に密着させ、両すそ部分を押さえ具で止めたり、通路の土をかけて押さえます。野菜の生長によりべたがけ資材が盛り上がってきたときは、すそ部分をゆるめて止め直します。

（神奈川県種苗協同組合　成松　次郎）

知っておきたい漢方薬　その5

不眠によく効く漢方薬

まだまだ暑さは厳しいですが、夜は先月より確実に涼しくなっています。外では虫が鳴き始めました。季節は確実に秋に向かっており、クーラーなしでもよく眠れる季節。それなのに眠れない。そんな方こそ、ぜひ漢方薬を試してみてください。

漢方では不眠の原因は、「①眠りそのものが浅い　②いらいらするせいで眠れない　③心が高ぶっていてすぐに目が覚めてしまう　④不安や心配ごとで眠れない」の4つに分類しています。それぞれの原因にあった漢方薬を選ぶことが大切です。

①のタイプは、暴飲暴食や油っこい食べ物、あるいは甘い物の食べ過ぎで消化不良を起こしており、体内に余分な「水」が溜まって痰になっていると診断されます。身体の熱を取って痰を切り、水分の代謝を良くする温胆湯がいいでしょう。熱を取る生薬をプラスした黄連温胆湯が処方されることもあります。

②はストレスなどで肝に「気」が停滞しています。心が興奮していて眠ることができず、それゆえ、寝入ってもすぐに起きてしまうのです。まずは心身を安定させ、いらいらを取り除きましょう。加味逍遙散がよく効きます。

③は腎に弱っているタイプです。寝汗をかきやすく、のどが乾くのが特徴です。黄連阿膠湯で心の熱を冷まし、心と腎のバランスを取って安眠を手に入れましょう。

④は心労や考えすぎで心が不安定になっています。動悸があって疲れ易く、食欲もありません。昼間眠くなることも多いようです。

このタイプには、帰脾湯で心身を安定させつつ胃腸を養います。「一日二日、眠れなくても死にはしない」。そんなふうに居直りを持つことも、このタイプには必要です。

（ライター　千羽　ひとみ）

9 月 1 日㊌	天気	行事	
	気温　　　　℃		

9 月 2 日㊍	天気	行事	
	気温　　　　℃		

似て非なる動物　〜シカとカモシカ〜

　シカとカモシカ、名前が似ているせいか、同じ仲間だと思っている人が多いかもしれません。でも、シカとカモシカは、似ているようで実は似ていない動物です。どちらも偶蹄目の哺乳類で植物だけ食べる反芻動物ですが、シカはシカ科に属していて日本以外の中国などにも亜種が生息しています。

　一方、カモシカは日本の固有種で、北海道以外の本州以南に生息しているウシ科の動物です。つまり、カモシカはシカではなくウシの仲間なのです。

　生態も違います。①シカは雄だけが角を持ち毎年生え替わりますが、カモシカは雄雌ともに角を持ち一生伸び続けます。②シカは群れ生活で行動範囲も様々ですが、カモシカは個々になわばりを持ち単独で生活します。③シカは強い雄一頭が雌数頭を囲い込むハーレムを作りますが、カモシカは基本的に一夫一妻です。④どちらの糞もアーモンドチョコに似ていますが、どこでも排泄するシカに対し、カモシカは特定の

9 月 3 日㊎	天気	行事
	気温　　　℃	

ベッドの日

---

9 月 4 日㊏	天気	行事
	気温　　　℃	

串の日

場所にため糞をします。

　このように違うシカとカモシカですが、どちらも古くから狩猟の対象となってきました。明治期から毛皮などの需要が高まり乱獲された結果、昭和初期には絶滅が心配されるまで減少しました。そのため、シカは雌を捕獲禁止とし、カモシカは特別天然記念物に指定するなどの保護政策が実施されました。それが功を奏してどちらも絶滅をまぬがれたのです。ところが近年では、各地で急激に増加したシカがカモシカの

分まで植物を食べているのではと懸念されています。シカとカモシカ、どちらも日本に生息する大切な生き物です。彼らが安心して暮らせる豊かな森林を守るために、私たちにできることを考えたいですね。

（〔国研〕森林総合研究所 関西支所

八代田 千鶴）

9 月 5 日㊐	天気		行事	
	気温	℃		

9 月 6 日㊊	天気		行事	
	気温	℃		

鹿児島黒牛・黒豚の日

魚の王様 マダイ　おいしいマダイの秘密とは

　日本では、姿の美しさと味の良さから魚の王様とされ、お祝い事に欠かせないマダイ。なかでもひときわ有名なのが明石海峡周辺で獲れる明石鯛。ほかにも鳴門鯛や由良の鯛が水揚げされる兵庫県は、マダイの名産地です。

　兵庫県の瀬戸内海は、淡路島によって三つの海域に分けられ、それぞれ明石海峡、鳴門海峡、由良瀬戸でつながっています。海峡とその周辺は潮が速く、海底は起伏に富み、マダイの好物であるエビやカニ、小魚がたくさん泳いでいま

す。おいしい餌をたっぷり食べ、速い潮の中でよく運動するので、味が濃く脂の乗りがほどよいマダイへと育ちます。

　明石は、古くからおいしい魚の供給地として有名でした。それに加え、おいしい魚をよりおいしく出荷するため、活越し、活締め、神経抜きという、現在の鮮魚処理の基礎となる技術が明石で生まれました。

　一方、淡路島は御食国、食の島として古くから海産物を朝廷に納めていました。令和元年の

9 月 7 日㊋	天気	行事
	気温　　　℃	

白露、新月

9 月 8 日㊌	天気	行事
	気温　　　℃	

二日灸、サンフランシスコ平和条約調印記念日、桑の日

大嘗祭にも、代々の大嘗祭と同様に南あわじ市丸山地区から干鯛が献上されました。

　秋のマダイは紅葉鯛と呼ばれ、浜では特に珍重されます。冬に備えてエサをたっぷり食べたマダイの身は、透明感のあるうすい飴色になります。香り高く、旨味が強い極上の身は、刺身や松皮造りのほか、塩焼きや潮汁、兜煮、鯛飯などでも絶品の味を堪能できます。

　最後に、マダイを使った名物料理、淡路島の鯛素麺を紹介します。祝い事で振る舞われるもので、波に見立てた素麺の上に鯛が丸々一尾乗っている様は壮観です。マダイの出汁と淡路島特産の素麺との相性が抜群です。

　美しい姿も楽しめ、様々な料理でうまさを堪能できるマダイは、やはり魚の王様です。

（兵庫県農政環境部　農林水産局水産課

　　　　　　　　　　　　　　大野　泰史）

9 月 9 日㊍	天気	行事	
	気温　　　℃		

重陽、庚申、救急の日、食べものを大切にする日

---

9 月10日㊎	天気	行事	
	気温　　　℃		

二百廿日、下水道の日

今も心に残る連続テレビ小説ランキング⑨

　視聴者投票の９位は、インスタントラーメンを生み出した安藤百福とその妻、仁子の半生をモデルにした「まんぷく」です。

　戦時中に発明家の立花萬平と結婚した福子は、夫が冤罪で捕えられるなど様々な困難に見舞われますが、天性の明るさでこれを乗り切り、萬平の研究を支え続けます。やがて栄養食品の開発に成功した萬平は、世界初の即席ラーメンを生み出し、日本から世界へ、新たな食文化を届けることになります。

●ものがたり

　戦前の大阪に生まれた今井福子は、苦しい戦時中の生活も天真爛漫な性格で乗り切る、ムードメーカー的存在。ふと発明家で実業家でもある立花萬平と知り合った福子は、その才能に惚れ込み、結婚を決意します。しかし、萬平の周囲では次から次へとトラブルが発生。

　冤罪で警察に囚われ、拷問を受けて大怪我を負ったりもします。しかし萬平は幻灯機や製塩など様々な事業を手がける中、「食」の重要性

9 月11日㊏	天気	行事
	気温　　　　℃	

9 月12日㊐	天気	行事
	気温　　　　℃	

水路記念日、宇宙の日

を再認識して、健康食品の開発に没頭。栄養食品「ダネイホン」の発売でやっと世間から認められると、次には世界初のインスタントラーメン製造を目指します。夫の良き理解者として、この開発を全力で支えた福子の労も実って、ついに世界初のカップラーメンが誕生。やがて、世界中に愛される日本の味になっていきました。

●制作【作】福田 靖【音楽】川井憲次
【語り】芦田愛菜【テーマ曲】DREAMS

COME TRUE 【出演】安藤サクラ、長谷川博己、松坂慶子、内田有紀、要潤ほか
●エピソード
　語りの芦田愛菜は、朝ドラのナレーターの中で当時最年少の14歳でした。主演の安藤は長女を出産したばかりで一旦は断ったものの、制作側の強い要望で連続テレビ史上初のママさんヒロインとなりました。

9 月13日㊊	天気		行事	
	気温	℃		

世界の法の日、甲子

9 月14日㊋	天気		行事	
	気温	℃		

上弦の月

能美のはとむぎ　～白山の伏流水が湧き出る能美市～

　能美市は石川県の南部、加賀平野のほぼ中央に位置します。加賀平野は標高2702mの日本三名山の一つ、霊峰白山の雪解け水が流れる手取川により形成された扇状地帯です。

　また手取川が流れ込む日本海に面した海岸線があり、南側には白山山系に連なるなだらかな丘陵地を擁します。能美市は2005年2月1日に、日本地理的表示保護制度（GI）に認定されている〝加賀丸いも〟の生産地である根上町、九谷焼や古墳群で有名な寺井町、辰口温泉といし

かわ動物園があり、里山が広がる辰口町の3町が合併し、誕生しました。

　特産であるはとむぎは、旧寺井町にて昭和50年代初頭より転作作物の一環として始まり、北陸で最も古い歴史があります。

　令和元年は、国内で最も普及している品種「あきしずく」を、生産者8名で約3.4 haの面積で栽培し、約10 t の収穫がありました。

　収穫されたはとむぎは、主にティーパック用のお茶、PETボトルなどに加工しています。

9 月15日㊌	天気	行事
	気温　　　　℃	

老人の日、老人週間（21日まで）

9 月16日㊍	天気	行事
	気温　　　　℃	

オゾン層保護のための国際デー

　　ティーパック用のお茶は香ばしく素朴な味わい、PETボトルは玄米・大麦・はとむぎがブレンドされており、スッキリとした喉ごしで大変飲みやすくなっています。
　　PETボトルの開発・販売により、周辺地域に〝能美のはとむぎ〟が知れわたり、近年の健康志向の高まりと安全・安心な国産はとむぎを求める方々に、定着しています。
JA能美はとむぎ概要　（令和元年度）
　　・生産地：石川県能美市末信町地内

・生産者：JA能美はとむぎ部会
・生産者数：8名
・栽培面積　：約3.4ha
・生産量　：　約10t
(主な加工品)
・ブレンドはとむぎ茶PETボトル
・はとむぎ茶ティーパック

（JA能美　6次産業推進室加工センター
　　　　　　　センター長　牧　儀和）

9 月17日㊎	天気		行事	
	気温	℃		

9 月18日㊏	天気		行事	
	気温	℃		

かいわれ大根の日、己巳

バッタ

バッタ追う麦わら帽と白い葉と　　佐々木芳正

　バッタは世界に5千種いるという。日本ではトノサマバッタがよく知られている。多くは土の中に卵を生み、卵で越冬し、成虫は夏から秋にかけて発生する。一般に植物の葉を食べるので農業にとっては害虫だが、子供の頃は掴まえる楽しみの昆虫だった。

セーフティーゾーンで跳ねているバッタ　加藤　鰹

泣き面になんと今度はバッタだと　　　大前尚道

　昨年は世界中が新型コロナウィルスの対策に追われたが、アフリカ東部では過去に例をみない規模でサバクトビバッタが猛威を振るった。国連は「2千万人近い人が深刻な食糧危機にある」と訴えている。バッタの群れは1日で3万5千人分の食糧を食べ、1日で150km移動するという。被害範囲も広くなる。

その昔バッタに泣いた開拓史　　　　山本　勲夫

　わが国もバッタにやられた歴史をもつ。

　明治12（1879）年から6か年にわたって、北海道の十勝地方に発生したトノサマバッタの大

9 月 19 日 ㊐	天気		行事
	気温	℃	

9 月 20 日 ㊊	天気		行事
	気温	℃	

㊗●敬老の日 　　　　　　　　　　彼岸入り、空の日、動物愛護週間（26日まで）

群は、日高、石狩、胆振地方まで農作物に大きな被害を与えた。地面を掘って卵を集め、幼虫は俵に詰め、これらを集めて積み上げ、表面に厚く土を盛り、打ちかためて生き返らさないように防御した。これが「バッタ塚」で、今も残っているところがある。

開拓の涙も埋めたバッタ塚　　　　須藤　英一
バッタなら喰えぬ蝗（いなご）が酒のアテ　　丸橋　野蒜

　夏目漱石の「坊ちゃん」にバッタがでる。主人公が宿直の日、生徒が布団の中にバッタを50匹ほど入れる。生徒に「なんでバッタを布団の中に入れた」と言うと「バッタとは何だ」と問い直された。小使いに捨てたバッタをもってこさせ「バッタはこれだ。大きなずう体をしてバッタを知らないのか」というと「そりゃ、イナゴぞな、もし」。

　東京ではバッタだが、松山では蝗（いなご）だった。

側溝の草にバッタの深呼吸　　　　大野たけお
　　　　（NHK学園川柳講師　橋爪まさのり）

9 月21日㊋	天気		行事	
	気温	℃		

十五夜、秋の全国交通安全運動（30日まで）、満月

9 月22日㊌	天気		行事	
	気温	℃		

伊吹そば　〜地理的表示（GI）保護制度に登録された悠久のそば〜

　「伊吹そば」は、滋賀県米原市に位置する県内最高峰である伊吹山の中腹で栽培されてきた在来種のそば（玄そば）です。直径4.5mm以下のものが多く、国内の他のそばの品種と比較すると小粒なそばになります。小粒であることから甘皮（種皮）の部分が多く、麺にしたときには甘皮に由来する淡く緑がかった色合いとなり、また、甘皮に由来するそばの香りも強く感じられます。特徴的な色合いと味は、そば店等から高く評価されています。

　「伊吹そば」の生産の歴史は古く、平安時代後期から鎌倉時代にかけて伊吹山の中腹に開かれた太平護国寺が起源とみられます。この辺りは昼夜の寒暖差が大きく石灰質で水はけの良い土壌であることから、上質なそばの生産地として定着したものと思われます。霊峰としても名高い伊吹山には、当時、多くの修験者が集まっていたため、貴重な食糧源としてそばが栽培され始めたとも考えられています。また、俳人松尾芭蕉の弟子の森川許六が編んだ『本朝文選』

9 月 23 日 ㊍	天気		行事	
	気温	℃		

▣●秋分の日　　　　　　　　　　　　　　　　　　　　　　　秋分、彼岸中日、テニスの日

---

9 月 24 日 ㊎	天気		行事	
	気温	℃		

　　　　　　　　　　　　　　　　　　　　　　　　　　　　結核予防週間、畳の日

（1706年）には、「伊吹そば。天下にかくれなければ」と記され、その品質は古くから高く評価されてきました。

　このように生産地と結びついた特色ある産品の「伊吹そば」は、令和元年9月に地理的表示（GI）保護制度に登録されました。

　伊吹山は日本百名山の一つで、古来より薬草や高山植物、野鳥、昆虫の宝庫としても有名です。山頂の花畑は国の天然記念物に指定されており、頂上からは日本一大きな湖・琵琶湖の絶景を望めることから観光客にも人気のスポットとなっています。お立ち寄りの際には是非、「伊吹そば」をご賞味下さい。ピリッと辛い伊吹大根をすり、おろし蕎麦でいただくとより蕎麦の味が引き立ちます。

（滋賀県農政水産部　食のブランド推進課
　　　　　　　　　　　　　　北川　貴志）

9 月 25 日 ⊕	天気		行事
	気温	℃	

9 月 26 日 ⊜	天気		行事
	気温	℃	

彼岸明け

東北太平洋沿岸地域の大規模土地利用型経営におけるキャベツ機械化栽培体系

　東北の太平洋沿岸地域では、東日本大震災以降、農地の集約化と土地利用型経営の大規模化が進みました。この中で水稲作主体の経営では、収益性向上のため露地野菜の導入が注目されています。そこで、稲作との作業競合が少ない、多くの作業を機械化できる、需要が見込める等の理由で、加工業務用キャベツの導入を検討しました。

　実証研究によって、キャベツの機械化栽培体系は、夏どりおよび秋冬どり作のどちらでも水

稲作や大豆作の農繁期と作業が重ならず、作業分散・労働時間の平準化が可能であることが明らかになりました。主要な作業は、機械（市販化されたキャベツ収穫機を含む）で行えるため軽労化できます。また、この体系の導入を支援するいくつかの技術も開発しました。キャベツの初期生育の安定化・生育斉一性の向上が期待できる「長期無追肥育苗技術」と「うね内部分施用技術」、キャベツ機械収穫の作業効率の向上が期待できる「セル苗の深植え定植技術」な

9 月27日㊊	天気	行事
	気温　　　　℃	

社日、世界観光の日

9 月28日㊋	天気	行事
	気温　　　　℃	

どがあります。また、かん水や排水対策等を組み合わせることで、キャベツ生産を安定化できます。

　これらの技術を基に、水稲主体の大規模経営体（80ha規模）の収益性を試算すると、キャベツ等の機械化栽培体系を7 ha以上導入することにより、農閑期の遊休労働力を活用でき、構成員1人当たりの農業所得は140万円程度増加することが期待できます。

　紹介した内容についてより詳しく知りたい方は、マニュアル（農研機構東北農業研究センターのホームページから入手可能）を参考にしてください。https://www.naro.affrc.go.jp/publicity_report/publication/pamphlet/tech-pamph/130465.html

(農研機構　東北農業研究センター

山本　岳彦)

9 月 29 日 ㊌	天気		行事
	気温 ℃		

クリーニングの日、下弦の月

9 月 30 日 ㊍	天気		行事
	気温 ℃		

くるみの日

しょうゆの濃い口と薄口の違い

　一般にしょうゆは、鎌倉時代の禅寺でみその上澄み液を調味料として使ったのが始まりとされています。地方によっては近年まで、しょうゆとみその区別が明確でなく、みその上澄みをしょうゆと言っていたそうです。

　濃い口しょうゆと薄口しょうゆですが、現在製造されているしょうゆの8割は濃い口しょうゆです。濃い口しょうゆは大豆と小麦の割合がほぼ半々で、十分に発酵熟成させて作られています。そのために色が濃く、香りとコクのある味が特徴です。

　また、関西を中心に使われている薄口しょうゆは、料理の素材の味を生かすために江戸時代になって作られたものです。

　発酵熟成をおさえて、色と香りを控えめにしているのですが、食塩で熟成をおさえているので、塩分は濃い口しょうゆより1割ほど多くなっています。

灘のけんか祭り
（兵庫県姫路市）

●節気・行事●

寒　　　露	8日
スポーツの日	11日
統 計 の 日	18日
十 三 夜	18日
土　　　用	20日
霜　　　降	23日
読 書 週 間	27日

●月　　相●

○満　　月	20日
●新　　月	6日

10月の花き・園芸作業等

花　　き

スイートピー、ラークスパーの播種。秋播き一年草の苗の定植。チューリップ、ムスカリ、ヒヤシンス、アネモネなど秋植え球根の植付け。カンナ、ダリア、カノコユリなど春植え球根の堀り上げ。ガーベラ、ミヤコワスレなど宿根草の株分け。バジル、ローズマリーなどハーブ類の播種。

野　　菜

小松菜、ホウレンソウ、促成用果菜類の播種。ニンジン、菜類、タカナ、ネギ、ゴボウ、ダイコン、エンドウ、キャベツの播種。キャベツ、カリフラワー、ブロッコリーの移植。イチゴ、フキ、菜類の定植。ハクサイ、ネギ、キャベツ、カブ、菜類、イチゴの中耕、間引き、追肥。ハクサイ、ホウレンソウ、インゲン、ダイコン、ニンジン、ゴボウの収穫。

果　　樹

ビワの施肥。果樹園の草生播種。早生温州、リンゴ中生種、イチジク、カキ、クリの収穫。ミカン、クリの害虫防除。

10月 　暦と行事予定表

	節　気　・　行　事	予　　　　定
1 （金）	法の日、労働衛生週間、共同募金	
2 （土）	豆腐の日	
3 （日）	登山の日	
4 （月）	里親デー、鰯の日	
5 （火）	レジ袋ゼロデー	
6 （水）	国際文通週間、亥の子餅、新月	
7 （木）		
8 （金）	寒露、木の日、ソバの日	
9 （土）	万国郵便連合記念日	
10 （日）	目の愛護デー、まぐろの日	
11 （月）	◉スポーツの日	
12 （火）	豆乳の日	
13 （水）	引越しの日、上弦の月	
14 （木）	鉄道の日	
15 （金）	たすけあいの日	
16 （土）	世界食料デー	
17 （日）	貯蓄の日	
18 （月）	十三夜、統計の日	
19 （火）	住育の日	
20 （水）	土用、リサイクルの日、満月	
21 （木）	国際反戦デー、あかりの日	
22 （金）		
23 （土）	霜降、電信電話記念日	
24 （日）	国連の日	
25 （月）		
26 （火）	柿の日、原子力の日、反原子力デー	
27 （水）	天赦日、読書週間（11月9日まで）	
28 （木）	速記記念日	
29 （金）	てぶくろの日、炉開き、下弦の月	
30 （土）	たまごかけごはんの日	
31 （日）	世界勤倹デー、ガス記念日、ハロウィン	

中耕、追肥と土寄せ

中耕は栽培中に畝間（通路）や株間の表土を浅く耕すことをいいます。また、土寄せは野菜の生長に合わせて株元に土を寄せ集める作業です。多くの場合、中耕は追肥と土寄せを兼ねた作業になります。

中耕

この効果は除草や締まった土の通気をよくし、乾燥時には下層からの水分上昇となる毛管現象を断つことで下層の水分が保たれ、干ばつ対策になることです。しかし、中耕や土寄せではなるべく根を切らないように注意が必要です。

追肥

生育期間の長いキャベツやネギでは種まきや植え付け後の急に生長する時期から追肥を始めます。肥料は根が伸びていくところに与えるのが効果的です。肥料が根に直接触れると肥やけをおこすので、根の先端から少し離れたところに施します。また、土の表面にばら撒くと雨で流され、乾燥すると肥効が出ないため、肥料を撒いた後は、土寄せして覆土

しておきます。ダイコン、ハクサイなどは畝の片側にクワで溝を切って、そこに追肥し畝間の土を戻します。育苗などで栽培床（ベッド）にばら撒きするタマネギ、ネギは、苗の上から肥料を振りかけるようにして追肥し、土をふるい掛けして覆土します。

土寄せ

周囲の土を株元に寄せて株のふらつきと、雑草を防ぐ効果もあります。とくに、台風が予測されるときには、あらかじめ土寄せして、株をしっかり固定させておきます。長ネギでは、追肥の時に徐々に高く土寄せして軟白部を長く作ります。サトイモでは土中に子イモ、孫イモが太るところを作ります。ダイコンとニンジンでは、土寄せによって根が露出して着色するのを防ぎ、寒害対策にもなります。

（神奈川県種苗協同組合　成松　次郎）

知っておきたい漢方薬　その6
頭痛によく効く漢方薬

頭痛、それも原因がよくわからない慢性的なものの治療こそ、漢方薬の持ち味がよく発揮される分野です。病院でさまざまな検査をしたかどうもよく原因がわからないし、治療効果も得られない。そうした場合は、漢方薬を試してみましょう。

さまざまなタイプの症状がありますが、傷む場所がいつも一緒で、ズキズキもしくはチクチクと刺すように傷む場合は、血の流れが滞っていると判断します。通導散や桂枝茯苓丸で血行を促進しましょう。

頭が締めつけられるような痛みがあり、吐き気やおう吐も伴う場合は、体内の「水」が停滞し、痰が溜まっている状態とされています。導痰湯で痰をのぞいて体内の余分な「水」を排しましょう。

張るような痛みの頭痛は、精神的なストレスが原因です。ストレスによって体内の「気」が停滞、もしくは失調していると考えられま

す。こうした頭痛に処方されるのが、加味逍遙散や柴胡疏肝散で、肝の働きを高め、気の巡りを整えます。

めまいやフラつき、いらいらがあって目に充血がある頭痛の場合は、肝に熱がこもって頭に上ってきている状態と判断します。上半身に熱がいってしまっていますから、下半身は逆に冷えを感じたり、重さやだるさを感じたりします。こうした場合には、釣藤散や杞菊地黄丸が処方されます。

いずれにせよ、頭痛は頭というきわめて大事な器官の不調です。漢方薬は慢性的な頭痛解消にすばらしい効力を発揮しますが、脳腫瘍や脳血管障害などが原因とも考えられます。決して素人診断はせず、まずは病院を受診してから試すようにしてください。

（ライター　千羽　ひとみ）

10月 1 日㊎	天気	行事
	気温　　　　℃	

法の日、労働衛生週間、共同募金

10月 2 日㊏	天気	行事
	気温　　　　℃	

豆腐の日

元祖秋田諸越　諸々の菓子を越えて美味なるお菓子

　「諸越」は、秋田を代表する銘菓です。杉山壽山堂の初代杉山良作が、宝永2年（1705年）に当時秋田地方特産の小豆粉を用い、大変苦労して完成させたお菓子を四代藩主佐竹義格（よしただ）公に献上したところ、「これは諸々の菓子を越えて美味である」とのお言葉を頂戴し、それが「諸越」の名前の由来と伝えられております。その後、御用商人の命を受けるとともに、菓子司の肩書を賜り、京都嵯峨野御所でも同様に御用商人の栄誉を賜りました。

　「諸越」は、干菓子です。同じ干菓子の代表「落雁」は、落雁粉＝糯米（もちごめ）の粉と砂糖を主原料にしたものですが、「諸越」は、小豆の粉と砂糖を主原料にしております。「もろこし」という名前から『とうもろこし』をイメージし、とうもろこしの粉から作られていると思っている方もいるようです。

　上白糖に和三盆糖や黒砂糖を混ぜたり、香り高い「抹茶」を混ぜたり、小豆をあんこにしてから粉にした「あん粉」を使ったり、表面を焼

10月 3 日(日)	天気	行事	
	気温　　　℃		

登山の日

10月 4 日(月)	天気	行事	
	気温　　　℃		

里親デー、鰯の日

き上げたりと、添加物や着色料を使わず、色や味わいに変化をつけています。また「諸越」の特徴は型にもあります。

　秋田の名物「なまはげ」「竿燈」「秋田蕗」「秋田犬」が多く使われております。

　「元祖秋田諸越」は、『杉山壽山堂』を一文字ずつ型にしており、厳選された上質の小豆粉に上白糖と和三盆糖を混ぜ、少量の水を加え、型打ち、乾燥、下焼きと、ほとんど昔からの製法で作られております。

　カリッとかじると口の中でさらっとした甘みと小豆の風味がふわっととけ合う食感が何とも言えません。上品な甘さと口どけの良さが自慢の杉山壽山堂の代表銘菓です。お茶だけでなく、コーヒー、紅茶との相性も抜群です。ぜひ一度ご賞味ください。

（株式会社　杉山壽山堂　土田　昭子）

10月 5 日㈫	天気		行事	
	気温	℃		

レジ袋ゼロデー

10月 6 日㈬	天気		行事	
	気温	℃		

亥の子餅、国際文通週間、新月

注目されている「新たな茶の品種」

　現在、全国で栽培されている茶の品種の約4分の3は、「やぶきた」という品種で占められています。また静岡県では、特に「やぶきた」の占有率が高く、全体の約9割余を占めています。これは「やぶきた」の品質が優れ、茶商や消費者に支持されてきたためです。

　一方、やぶきた偏重により、摘採期の労働集中や、香味の画一化による嗜好品としての魅力低下といった弊害も生じています。労働の平準化や特徴あるお茶づくりのためには、「やぶき

た」以外の品種を戦略的に導入していくことが重要です。

　当茶業研究センターでは、これまでに様々な特徴を持った品種を育成してきました。ここでは、「香り」や「色」に特徴を持つ最新の2品種について紹介します。

　最も新しい品種は、上質な味と香りを持つ「しずかおり」です。2015年に品種登録され、同年に静岡県茶奨励品種に採択されました。一番茶の摘採が「やぶきた」より2日早い「やや早生」

10月 7 日㈭	天気	行事
	気温　　　　℃	

10月 8 日㈮	天気	行事
	気温　　　　℃	

寒露、木の日、ソバの日

品種で、バニラ様の甘い香りと上質な旨味が魅力的な品種です。

　また、色に優れ、2012年に品種登録された「ゆめするが」は、2014年に静岡県奨励品種に採択されました。一番茶の摘採が「やぶきた」より4日遅い「やや晩生品種」で、外観、水色ともに鮮やかな緑色で、香味が温和な、たいへん飲みやすいお茶です。

　現在、当センターでは新たに、「花の香り」が特徴の系統と、「超多収性」の系統を選抜し、品種登録に向けた取組みを行っていますので、楽しみにお待ちください。

（静岡県農林技術研究所　茶業研究センター
　　　　　　　　　　　　研究員　川木 純平）

10月 9 日㊏	天気	行事
	気温　　　　℃	

万国郵便連合記念日

10月10日㊐	天気	行事
	気温　　　　℃	

目の愛護デー、まぐろの日

信州の伝統野菜について

　古くから東西文化の融合点あった長野県は、全国有数の伝統野菜の宝庫です。各地の気候風土に適応して特徴的な味や香りなどを持った野菜が貴重な「食の文化財」として脈々と引き継がれてきました。しかし、戦後の経済発展の中で野菜生産の主流は、育てやすく見栄えの良い規格の揃った品種に移行し、伝統野菜の多くは衰退していきました。

　近年、伝統野菜の存在意義を見直し、復興させようという取り組みが各地で広がり、長野県においても県内各地に残る貴重な伝統野菜を次代につないでいこうと、平成18年に「信州伝統野菜認証制度」を創設しました。

★信州伝統野菜認定制度とは

　長野県内で栽培されている野菜のうち、「来歴」「食文化」「品種特性」について、一定の基準を満たしたものを、「信州の伝統野菜」として選定しています。

　また、選定された「信州の伝統野菜」のうち、

10月11日（月）	天気	行事
	気温　　　　℃	

◉スポーツの日　　　　　　　　　　　　　　　　　　　　　　　　安全・安心なまちづくりの日

10月12日（火）	天気	行事
	気温　　　　℃	

豆乳の日

伝承地で継続的に栽培されている伝統野菜及び一定の基準を満たした生産者グループ（生産者組織、農協、市町村等）に対し、「伝承地栽培認定」を行っています。伝承地栽培認定を受けた生産者グループは、「信州の伝統野菜認定証票」を表示して出荷・販売することができます。このマークは、信州の伝統野菜を守り、食文化を次代に継承していこうという生産者の思いを示しています。

信州伝統野菜認定制度により、77種類の「信州の伝統野菜」が選定され、そのうち50種類について47の生産者グループが伝承地栽培認定を受けています。（令和元年9月15日現在）

「信州の伝統野菜」は、「土地の味」「各家庭で受け継がれた料理」。未来に誇りをもって伝えていきたい食文化です。

（長野県農政部　農業政策課
　　　　農産物マーケティング室　坂下　広）

| 10月13日㊌ | 天気 | 行事 |
| | 気温　　　　℃ | |

引越しの日、上弦の月

| 10月14日㊍ | 天気 | 行事 |
| | 気温　　　　℃ | |

鉄道の日

今も心に残る連続テレビ小説ランキング⑩

視聴者投票の10位は、漫画家・水木しげる の妻・武良布枝さん原作のエッセイをドラマ化 した「ゲゲゲの女房」です。

当時としては晩婚だった29歳のヒロインと 39歳の売れない漫画家の新婚生活から物語は 始まりますが、その毎日はまさに極貧。

その逆境をふたりで乗り越えながら、やがて 国民的なヒット作を生み出すまでの道のりを、 ドラマチックに描いた作品です。

●ものがたり

小さい頃からおとなしく内気な性格で、背の 高さにコンプレックスを持っていた飯田布美枝 は、29歳の時、39歳の貸本漫画家村井茂と見合 いをして5日後に結婚。新婚生活を始めますが、 村井には漫画家としての収入がなく、極貧の毎 日が続きます。

食べるものにも困る貧乏生活だったものの、 寝食を忘れて仕事に没頭する村井を懸命に支え る布美枝。家庭を顧みない夫に不満を募らせな

10月15日㊎	天気		行事	
	気温	℃		

たすけあいの日

10月16日㊏	天気		行事	
	気温	℃		

世界食料デー

がらも、「終わりよければすべてよしです」を
モットーに、笑顔で進むヒロインの気丈さに思
わず拍手を送りたくなる作品です。
　しかし、結婚から5年目に商業誌デビューし
た村井の作品は大ヒット。一躍人気作家となっ
た村井と布美枝の人生は、大きく様変わりして
ゆくことになります。
●制作【原案】武良布枝【脚本】山本むつみ
【音楽】窪田ミナ【語り】野際陽子
【主題歌】いきものがかり「ありがとう」

【出演】松下奈緒、向井 理、竹下景子、松坂慶
子、有森也実、南 明奈、杉浦太陽ほか
●エピソード
　この年の新語・流行語大賞で「ゲゲゲの〜」
が年間大賞に選ばれ、このドラマの存在感を強
く印象づけました。本作では貧乏神と妖怪のア
ニメが実写との合成で登場するなど、漫画家を
中心としたドラマらしい演出が随所に見られ、
アニメファンにも好評でした。

10月17日（日）	天気		行事	
	気温	℃		

貯蓄の日

10月18日（月）	天気		行事	
	気温	℃		

十三夜、統計の日

星のように輝くお米「星空舞」　〜ツヤ光る、星取県の新品種〜

「星空舞（ほしぞらまい）」は、鳥取県農業試験場が開発し、2018年にデビューした新品種米です。

夏の猛暑や倒伏、病気に強く、食味のよい品種を目指して開発されました。

開発に要した期間は実に30年。病気に強い遺伝子を持つ「ササニシキBL1号」を母親に、「コシヒカリ」の系譜で食味の良い「ゆめそらら」を父親として交配し、その子供に「ゆめそらら」を交配する手順を繰り返して、「星空舞」は誕生しました。高温下でも品質が低下しにくく、倒伏やいもち病にも強い特性を有しています。

こうして生まれた「星空舞」は、食味の面でも特徴的です。ご飯を炊いて、まず目につくのは星の煌きを思わせる米粒のツヤ。炊きたてを頬張ればしっかりとした粒感が噛みしめるごとに口中に広がり、はね返るような食感を味わえます。特筆すべきは「冷めても食感が変わらずおいしく頂ける」こと。これは、米粒が水を抱き込む量が多いためで、冷めてから食べることの多い弁当やおにぎりなどにも好適な品種とい

10月19日㊋	天気	行事	
	気温　　　　℃		

住育の日

10月20日㊌	天気	行事	
	気温　　　　℃		

土用、えびす講、誓文払い、満月

えます。

　鳥取県では、環境省が実施した全国星空継続観察で何度も日本一に輝き、どの市町村からでも天の川が見えるなど、県内全域にわたって美しい星空を観察できることから、「星取県」を名乗り、星空の保全や星空を活用した地域振興に取り組んでいます。「星空舞」という名前も、「星取県」で生まれた、星のように輝くお米であることが由来となっています。

　日本各地の夜空に光が溢れる昨今、人口最少県ゆえのオンリーワン「星取県」と、そんな「星取県」生まれの「星空舞」。空に、そして食卓に輝く星を、ぜひ賞玩してみてはいかがでしょうか。

（鳥取県　食のみやこ推進課　岡崎　司馬）

10月21日㊍	天気		行事	
	気温	℃		

10月22日㊎	天気		行事	
	気温	℃		

柿

初もぎの柿佛壇に朱を点ず　　　　東野　節子

　柿は北海道を除く各地で、古くから栽培されてきた。品種は多く、地方独自なものを含めると約2千種くらいあるとされる。原産地は日本や中国を含む東アジアとされ、学術名にも「カキ」が使われている。

柿熟れて斑鳩の里五輪浮く　　　　片岡つとむ
それはそれは見事な柿で渋かった　　松浦道子

　柿には甘柿と渋柿がある。甘柿は渋柿に比べて耐寒性がないので東北にはできない。

　甘柿には、次郎、富有、禅寺丸、伊豆などがあり、渋柿には、会津身不知、平核無、甲州百目などがある。渋柿は渋が抜けると甘味が強くなる。

熟し柿しんからとろり夜に沁みる　　古賀千鶴

　よく知られる次郎柿は、静岡県の松本治郎によって広められた。文久年間（1861〜64）町内を流れる太田川が氾濫したとき、堤防の修理をしていた治郎は流れてきた1本の柿の幼木を拾いあげ、庭に植えた。この木が結実し、非常な

10月23日（土）	天気	行事
	気温　　　℃	

霜降、電信電話記念日

10月24日（日）	天気	行事
	気温　　　℃	

国連の日

美味だったので、近隣の人達に枝を分け与えていった。後に苗を育てて分譲し「次郎」の栽培が増えた。禅寺丸は、川崎市にある王禅寺が原産とされる。鎌倉時代に開祖の等海上人が境内の林の中から発見、美味なので寺の庭に植え、苗木を農家に与えた。

捨ててある柿に噛まれた痕がある。　古谷龍太郎

　平核無は、明治20（1887）年に、山形県の鈴木重行が越後の行商人から柿の苗木を数本買って植えた。扁平で渋の淡い良果が結実した。酒井調良が自分も栽培し、苗木を作り旧庄内藩士に栽培をすすめ生活のたしにするべく奨励したという。

柿の木の柿の実全部鳥にあげ　　　西谷美智代
過疎進む盗る人もなき柿の色　　　伊豆丸竹仙

　先人の努力が歴史の中に埋もれていくのは悔しい。柿の振興策が盛りあがってほしい。

柿をむく穏やかにむく母をむく　　　小堀　光慧

（NHK学園川柳講師　橋爪まさのり）

10月25日㊊	天気		行事	
	気温	℃		

10月26日㊋	天気		行事	
	気温	℃		

柿の日、原子力の日、反原子力デー

大村産米100%

　花と歴史と技術のまち大村は、長崎県のほぼ中央に位置しており、東に多良山系の山々、西に大村湾を臨む自然豊かなまちです。大村湾は「琴のうみ」と称されるように非常に穏やかで、人々は古くからこの海の上を船で行き来し、海からの産物も大きな恵みとして受け取ってきました。

　大村市は約270年もの間大村氏によって治められた城下町であり、現在も市内各所に武家屋敷街の跡が残り、風情を感じることができます。

「純忠」誕生

　また、大村氏第18代領主・大村純忠は、日本初のキリシタン大名であり「天正遣欧少年使節」をローマに派遣したことは有名です。

　玖島城跡に整備された大村公園は、花の名所として知られており、春は21種類約2,000本の桜、初夏には約10万株およそ30万本の花菖蒲が公園内を彩り、多くの観光客で賑わいます。また、「日本さくら名所百選」の地にも選ばれ、花弁が200枚にもなる国指定天然記念物「大村神社のオオムラザクラ」は美しく、一見の価値

10月27日㊌	天気		行事	
	気温	℃		

天赦日、読書週間 （11月9日まで）

10月28日㊍	天気		行事	
	気温	℃		

速記記念日

があります。

その大村で令和元年6月に念願の大村産米100％の純米酒「純忠」が誕生しました。諫早市の「株式会社杵の川」で製造され、ネーミングは桜まつり会場や協会ＨＰなどで公募し決定。ラベルの文字は大村市在住の書家、佐藤鳳水氏に書いていただきました。

すっきりした飲み口で、フルーティーな味わいを楽しむことができます。大村名物のゆでピーにも合う大村のお酒を是非ご賞味ください。

「乾杯は純忠」を合言葉に大村市民はもちろん、広く皆さまに愛される銘酒です。

((一社) 大村市観光コンベンション協会

西　久美子)

10月29日㊎	天気	行事
	気温　　℃	

てぶくろの日、炉開き、下弦の月

10月30日㊏	天気	行事
	気温　　℃	

たまごかけごはんの日

「人・農地プラン」推進に向けた農地集約化支援ガイドブック

　今日、農業従事者の高齢化が進む中で地域農業を維持するためには、規模拡大を目指す「担い手」が農作業を連続的に支障なく行えるように農地を集約化することが大切です。現在、高齢化等による離農増加で、貸し出される農地が増えていますが、それら多くの農地は細かく分散しており、農作業の効率化を図る上で大きな障害となるためです。

　こうした問題を解決するために農林水産省では、担い手がまとまりのある形で農地を利用できるように貸付ける農地中間管理事業を実施しています。都道府県では、この事業を通じて地域内の担い手への農地集約化を進め、2023年に担い手が利用する面積が地域内の全農地面積の8割となることを目指しています。また、営利を目的としない農地中間管理機構を設置し、地権者から農地を借り受けて農地の利用権を交換すること等によって農地の集約化を進めています。さらに、市町村においては、地域農業の将来のあり方を示した「人・農地プラン」の作成

| 10 月 31 日 ㊐ | 天気 | 行事 |
| | 気温　　　　℃ | |

等を通じて、地域内の話し合いを図り、担い手
への農地集約化の取り組みを進めています。

　農研機構では、担い手への農地集約化に取り
組む市町村行政、農業委員会、JA、普及機関
等の関係者向けに『農地集約化支援ガイドブッ
ク2020年版』を作成しました。これは、「人・
農地プラン」を実現するための様々な取り組み
を見える化する行程表の作り方や地域内の話し
合いの進め方を整理したものです。具体的には、
農研機構の研究成果や現場の農地集約化のノウ

ハウ等と、全国の先進事例を紹介した内容とな
っています。なお、冒頭に見出しごとのページ
紹介をしています。このガイドブックは、農研
機構「マネジメント技術」のウエブサイトから
入手できますので、ご活用下さい。

（農研機構　東北農業研究センター

　　　　　　　　　　　　安江　紘幸）

食後の一睡万病丹

食後にした方が良いことや、しない方が良いことが、昔から色々と言い伝えられています。よく知られているものに「食べてからすぐに寝ると牛になる」というのがあります。これは、行儀のうえで見た目がよろしくないから、このように言い伝えられたと思われます。このほかに、「食後の湯は三里行っても帰って飲め」というものもあります。

食事をした後に、すぐに立ち上がって仕事をすると、食べたものが腹に落ち着きません。「万病丹」とはどのような病気にも効果がある薬という意味です。「食後の一睡万病丹」とは、食後に横になって寝ることが、体にとても良いという発想です。これと反対の意味のことわざで、「食後の百歩」というのもあります。昔は食後の養生について様々な考えがあったことを伺わせます。

現代医学の常識としては、「食後にすぐに動いた方が良いか」「ゆっくりと横になって休んだ方が良いか」という議論では、「ゆっくり休んだ方が良い」に軍配が上がります。

まず胃そのものの問題として、満腹の状態ですぐに運動などをすると、消化の面だけではなく、胃にとって危険です。次に消化の問題で、食べ物を消化・吸収するために、体中の血液が消化器へと集中していきます。

胃から腸内に入った食べ物は、小腸の壁から吸収され、血液を介して内臓から肝臓へと栄養物が運び込まれます。つまり肝臓の血液の流れも盛んになります。食べた後に眠くなるのは、このような流れのためであり、頭の血流が鈍くなることに原因があります。このようなわけで、食べた後はひと眠りし、胃腸・内臓を休めましょう。

参考図書
「からだと食べもの、おもしろことわざ辞典」
三笠書房

風邪にタマゴ酒は効果があるか？

「風邪は万病のもと」「風邪は百病の長」などと言われ、昔から風邪は他の病気の元になると考えられていたようです。

風邪の特効薬は、昔から安静にしていることと汗をかくことが中心で、いろいろな方法が考えられていたようです。ほかに「風邪にしょうが酒」という俗説もあります。

風邪の治療の基本は、温かいものを飲んで、食べて汗をかく。これを実践していれば、風邪は治癒すると考えられていました。

他のことわざとして、「夏風邪はバカがひく」「夏風邪は犬もひかぬ」「夏風邪は猿でもひかぬ」という言い伝えもあり、夏に風邪をひくことを戒めたものだと思われます。

夏の活動的な時期に風邪をひいて寝込んでしまうことは、確かにもったいないことだといえます。風邪をひいたときに、温かいものを食べたり飲んだりして発汗作用を得ることは、治療の上でも役立つことです。タマゴ酒は、このような理由から理想的な飲み物であると言えます。また、甘酒でも同じ効果が得られます。

風邪は、医学的には「かぜ症候群」と呼ばれています。そして、その原因の多くはウイルスによって引き起こされます。

原因がウイルスとなると、風邪の特効薬というものはありません。2次感染を防ぐための抗生物質をよく処方されますが、風邪の本体を治癒するものではありません。

ですので、風邪にかかった後は、家庭の中でいかにきちんと養生していくかが肝要です。その基本は①安静にする。②部屋を暖かくして蒸気をたてる。③栄養価の高いものを食べる。この3点を中心にしていくことが、今も風邪治療の中心になっています。

参考図書
「からだと食べもの、おもしろことわざ辞典」
三笠書房

11月
November

弥五朗どん祭り
（宮崎県都城市山之口町）

●節気・行事●

文化の日	3日
立　　冬	7日
七 五 三	15日
小　　雪	22日
勤労感謝の日	23日

●月　　相●

○満　　月　19日
●新　　月　　5日

11月の花き・園芸作業等

花　　き

秋播き一年草苗への霜よけ設置。熱帯性観葉植物鉢物の室内への取込み。球根ベゴニア、カラジューム、グロキシニアの球根越冬準備。西洋シバの播種。ボケの植替えと剪定。ヒバ類のとや葉（古葉）、マツの古葉落とし。落葉樹の鉢上げと植替え。針葉樹の植付け。

野　　菜

キャベツの移植。半促成栽培用果菜類の播種。チシャ、キャベツの定植。タマネギ、ダイコン、ハクサイ、菜類、ホウレンソウ、ニンジン、キャベツ、ソラマメの間引き、中耕、追肥。アスパラガス、ウド、ミツバの施肥。ホウレンソウ、タマネギ、キャベツ、ネギ苗、イチゴの防寒。果菜類予定地の耕起。野菜作付跡地の耕起。温床用落葉集め、堆肥の積返し、切返し。ダイコン、ハクサイ、キャベツ、ハナヤサイ、サトイモ、ハス、ショウガ、ネギ、ゴボウ、ニンジン、ホウレンソウ、菜類の収穫。

果　　樹

モモ、ナシ、ウメ、ミカンの施肥。果樹園の中耕除草。果樹園の清掃。ビワ、ミカンの防寒準備。ミカン、カキ、リンゴの収穫。

11月 暦と行事予定表

	節 気 ・ 行 事	予 定
1 （月）	灯台記念日、教育・文化週間（7日まで）、新米穀年度、計量記念日	
2 （火）	キッチン・バスの日	
3 （水）	▣ 文化の日、サンドウィッチの日	
4 （木）	消費者センター開設記念日	
5 （金）	雑誌広告の日、新月	
6 （土）		
7 （日）	立冬、鍋の日	
8 （月）	世界都市計画の日、ふいご祭、刃物の日、庚申	
9 （火）	一の酉、119番の日、太陽暦採用記念日秋の全国火災予防運動（15日まで）	
10 （水）	トイレの日	
11 （木）	世界平和記念日、鮭の日、チーズの日、上弦の月	
12 （金）	皮膚の日、洋服記念日、天赦日、甲子	
13 （土）	うるしの日	
14 （日）	とおかんや	
15 （月）	七五三、かまぼこの日、きものの日	
16 （火）	いろいろ塗装の日	
17 （水）	将棋の日、己巳	
18 （木）		
19 （金）	満月	
20 （土）		
21 （日）	二の酉	
22 （月）	小雪、いい夫婦の日、回転寿司記念日	
23 （火）	▣ 勤労感謝の日、外食の日	
24 （水）	オペラ記念日、鰹節の日	
25 （木）	ハイビジョンの日	
26 （金）	ペンの日、いい風呂の日	
27 （土）	ノーベル賞制定記念日、下弦の月	
28 （日）	税関記念日	
29 （月）	議会開設記念日	
30 （火）	カメラの日、本みりんの日	

鳥獣害から菜園を守る

最近は都市近郊の菜園でも、アライグマやハクビシンの被害が増えています。カラス、ハト、ヒヨドリなどの鳥害も日常的に起きていますので菜園を守る対策を立てましょう。

●防鳥ネットとテグス

網目が小さいほど防鳥効果が高く、目合いはヒヨドリでは30mm、カラスでは75mm以下のネットを用います。トンネル状や浮き掛け状に野菜を覆うのが効果的です。また、寒冷紗などを流用するのも有効です。

カラスは羽が障害物に触れるのを嫌うためテグス（釣り糸）を縦横に張り巡らします。カラスが飛び立つときに翼長が1m程度になるので、これより狭く張ります。

●べたがけで種を守る

マメ類などの大きい種は、カラスやハトの格好の餌食。種まき後、本葉が出るまでが被害に遭いやすいので注意が必要です。べたがけ資材には本来の発芽促進、防虫効果に加えて防鳥効果も期待できます。

●ネットや柵で目隠し

イノシシには野菜が見えないようにトタンなどの柵で菜園を目隠しします。1m程度の柵では簡単に飛び越えてしまいますが、柵の前にネットなど足に絡むものを配置して踏切位置を遠くすると越えられなくなります。

●電気柵の利用

電気柵に触れた獣類はショックを受けて退散します。ハクビシンの場合には、電線の下を潜り抜けるのを防ぐため、できるだけ低く張ります。ただし、漏電を防ぐために、除草するなど定期的な管理と夜間のみ通電し、注意書きを記すなど安全対策が必要です。

（神奈川県種苗協同組合　成松　次郎）

知っておきたい漢方薬　その7
腰痛によく効く漢方薬

寒さが厳しさを増してきています。腰に痛みを感じることはありませんか？

ぎっくり腰など急性でない腰痛には、漢方薬を試してみるのもいいでしょう。慢性の腰痛の場合、原因は体内にあることが多く、こうしたものの改善は、漢方が得意とするものだからです。

温めると楽になる腰痛で、下半身にむくみがある腰痛は、湿った冷たさが腰のあたりに停滞していると判断しています。体内の「水」が停滞していて、腎の機能も衰えています。身体を温める桂枝加苓朮附湯（けいしかりゅうじゅうぶとう）や苓桂朮甘湯（りょうけいじゅつかんとう）がよく効きます。こうした薬の服用とともに、衣服や暖房機で物理的に身体を温めることを心がけてください。

腰やひざがだるく、揉むと楽になる、同時にふらつきや耳鳴りもある場合には、体内の「腎」が弱っている証し。腎はエネルギーである「気」がやどる部分とされ、このタイプ腰痛が、慢性腰痛ではもっとも多いとされています。この腰痛には、六味地黄丸や牛車腎気丸（ごしゃじんきがん）が最適。頻尿などにも効くことから、夜間頻尿も併発している高齢者にしばしば処方されるお薬です。

夜間に痛み、押すと痛みを感じるものの、湿布をすると楽になる腰痛は、腰部に「血」が滞って鬱血している状態と判断します。こうしたタイプの腰痛には、血行の滞りを取り除き、血流促進効果のある漢方薬が効果的。通導散（つうどうさん）や桂枝茯苓丸（けいしぶくりょうがん）を試してみてください。

湿布薬も効きますが、炎症を起こしていて冷湿布が有効な場合と、慢性化して温湿布が有効な場合の2タイプがあります。貼ってみて気持ちのいいほうを選ぶようにしてください。

（ライター　千羽　ひとみ）

11月 1 日㈪	天気	行事
	気温　　　　℃	

11月 2 日㈫	天気	行事
	気温　　　　℃	

いわしのごま漬け

　いわしの好漁場である九十九里海岸では豊富に水揚げされるいわしの料理として、塩辛、まぶりずし、くさりずし（なわずし）、ごま漬、鹿島漬等が昔から伝えられています。

　その中でもせぐろいわしのごま漬けは日常のおかずに、酒の肴に、行事食などに親しまれている郷土料理です。

【材料10人分】

　せぐろいわし：3kg（正味2kg程になる）

塩：160g～200g（8～10%）
みりん：カップ1／2

Ⓐ酢：カップ5、砂糖：大さじ3
　酒：100cc

★ごま、しょうが、ゆずの皮、赤唐辛子

【作り方】

①いわしの頭と腹わたを取り、よく水洗いをし

11月 3 日㊌	天気	行事
	気温　　　　℃	

|●文化の日　　　　　　　　　　　　　　　　　　　　　サンドウィッチの日

11月 4 日㊍	天気	行事
	気温　　　　℃	

消費者センター開設記念日

　て、1～2時間きれいな水になるまで、血抜きをします。
②①を8～10時間、塩漬けにします。
③②を水洗いし水気を切ります。Ⓐの調味料を合わせ魚がかぶるぐらい、注ぎ入れて、5～8時間漬けます。
④ごまは炒り、しょうがとゆずの皮は細かくせん切りに、また、とうがらしは種をとって小口切りにします。
⑤容器に③のいわしと④の材料を交互に重ね、

みりんを振り入れて、漬け込みます。
⑥葉らん、または、ささの葉で押しぶたをして、重石をします。
⑦水が上がったら逆押し（容器を裏返しにして容器内の水分を除く方法）をして、水分を除いてから食べます。

（ちば県女性農業者ネットワーク）

11月 5 日㊎	天気		行事	
	気温　　　℃			

雑誌広告の日、新月

11月 6 日㊏	天気		行事	
	気温　　　℃			

今も心に残る連続テレビ小説ランキング⑪

　視聴者投票の11位は、朝ドラで初めて外国人俳優がヒロインを演じた「マッサン」でした。日本の国産ウイスキー作りに情熱を燃やした竹鶴政孝とその妻リタを中心に、洋酒の創生期を支えた人々の熱い生き方が描かれています。本物のウイスキーを求めて激動の時代を生きたマッサンこと亀山政春と、母国スコットランドを離れて夫を支え続けた妻・エリーの夫婦愛が胸に響く作品でした。

●ものがたり

　大正９年、マッサンこと亀山政春は本場イギリスで洋酒造りの修業を終えて帰国しましたが、その傍らにはスコットランド人の恋人エリーが！広島で造り酒屋を営む実家では「外国人の嫁など許せん」と大反対され、窮地に落ちた２人ですが、なんとか手を携え、ともに生きる道を探します。

　昭和になると２人は北海道へと渡り、ウイスキーづくりにゼロから挑みます。

11月 7 日⊜	天気	行事
	気温　　　℃	

立冬、鍋の日

11月 8 日㊊	天気	行事
	気温　　　℃	

世界都市計画の日、ふいご祭、刃物の日、庚申

　しかし、失敗の連続で事業が頓挫する中、日本は太平洋戦争に突入。母国が敵国となったエリーはスパイ容疑までかけられてしまいます。

　それでもエリーは日本への愛を忘れず、日本人として生き、マッサンのウイスキーづくりの夢を支え続けます。

●制作【作】羽原 大【音楽】富貴晴美
【語り】松岡洋子【主題歌】中島みゆき
【出演】玉山鉄二、シャーロット・ケイト・フォックス、堤 真一、八嶋智人ほか

●エピソード

　主役に起用された当時、日本語が話せなかったシャーロット・ケイト・フォックスは猛特訓で発音をマスターしたといいます。

　スコットランドが舞台のシーンは、北海道の十勝牧場内のシラカバ並木や然別湖畔などで撮影され、竹鶴政孝が立ち上げた実際の醸造所もそのまま登場しています。

11月 9 日㊋	天気	行事
	気温　　　℃	

一の酉、119番の日、太陽暦採用記念日、秋の全国火災予防運動（15日まで）

11月10日㊌	天気	行事
	気温　　　℃	

トイレの日

柔らかな味わいのパクチー「岡パク」　〜パクチーは一つじゃない〜

　岡パク」は、2000年から栽培を始めて、パクチー嫌いでも美味しく食せる柔らかな味わいのパクチーです。

　岡山県岡山市北区牟佐玉柏地区は、岡山三大河川の一つである旭川の清らかな自然の恵みと、柔らかな砂壌土で、特産の「黄ニラ」などの栽培が行われております。

　2000年から、産地ではパクチー栽培に着手し、試行錯誤を重ねてマイルドで柔らかな味わいのあるパクチーを確立し、産地化に成功致しました。

　パクチーの原産は地中海沿岸と言われ、世界各地で食されるハーブのお野菜です。

　日本には平安時代に到来したと言われておりますが、日本文化として根づくには難しかったのかもしれません。

　食しやすいパクチーを生産することが可能になったので、パクチーが苦手な方でも食しやすく、大好きな方には、さらにご満足頂けるパクチーに仕上がりました。

11 月 11 日 ㊍	天気	行事	
	気温　　　℃		

世界平和記念日、鮭の日、チーズの日、上弦の月

11 月 12 日 ㊎	天気	行事	
	気温　　　℃		

天赦日、甲子、皮膚の日、洋服記念日

　　様々なお料理にも合いますので、和風・洋
風・中華でお楽しみ下さい。
　　パクチーの品種は約300種類存在すると言わ
れております。パクチーの種類は一つではありま
せん。
　　岡山のパクチー「岡パク」を、是非一度味わ
ってみてください。何卒宜しくお願い致します。

（株式会社アーチファーム
　代表取締役　植田　輝義
　〈黄ニラ大使　岡パク大使〉）

11月13日㊏	天気		行事	
	気温	℃		

うるしの日

11月14日㊐	天気		行事	
	気温	℃		

とおかんや

おでん

おでん屋の客が連れ込むからっ風　松代　天鬼

　北風が強まりコートの襟を立てるような夜は、おでんが恋しくなる。立ちのぼる湯気と美味しそうな匂いの中で、求める種(たね)を注文する。ほっこりとした気分になってくる。

おでん屋の湯気ここだけは平和主義　松井　恵夢
おでん鍋冬の情けが鼻をつく　　　　市原　和代

　おでんの起源は室町時代頃のようで、豆腐田楽を丁寧に言った「御田」で、当時の花見などで食べていたようだ。串刺しにした豆腐に味噌をつけて焼いたものを田楽といった。

　江戸時代になると、コンニャクや大根、里いも、がんもどき等も利用され、江戸時代末には、焼くだけでなく煮込みおでんも生まれたといわれる。

コンニャクがおでんの皿へ幅をとり　松澤　敏行
ツルツルとおでん卵に遊ばれる　　　佐野ふみ子
おでんの中の大根に習いたし　　　　小河　柳女

　江戸時代には屋台で売るおでん屋も現われ、串焼きでなく、たっぷりとした煮汁で煮込まれ

11 月 15 日㈪	天気		行事	
	気温	℃		

七五三、かまぼこの日、きものの日

11 月 16 日㈫	天気		行事	
	気温	℃		

いろいろ塗装の日

るようになった。

　味を出す具材と、それを吸う大根やコンニャクとを一緒に煮るおでんは先人の知恵の詰まった料理と料理研究家も賞めている。

　明治時代には、学生の自活手段として屋台おでんがでたという。

おでん屋でよく会うけれど知らぬ人　高橋　敬二

　戦後、屋台が減り家庭料理として定着した。

仲直りしよう熱々のおでん　　　　興津　幸代

　昭和52（1977）年、セブンイレブンがおでん

の販売を始めた。コンビニでの定番になった感がする。共稼ぎ夫婦や独身者にとって手軽でおいしく、好みの具を注文できる。

コンビニのおでんが冬を告げにくる　堀　正和

　家族で囲むおでん鍋は幸せの凝縮に映る。

3世代丸く囲んだおでん鍋　　　　下川　澄子

（NHK学園川柳講師　橋爪まさのり）

11月17日㈬	天気		行事	
	気温	℃		

将棋の日、己巳

11月18日㈭	天気		行事	
	気温	℃		

土木の日

独自の進化遂げた、沖縄のタコライス

「タコス」はメキシコを代表する国民食で、トウモロコシの粉で作ったトルティーヤで肉や野菜を包んで食べる軽食です。

最近では都会のカフェでもよく見かけるタコスですが、このタコスが独自の進化を遂げ、オリジナル・メニューとして親しまれているのが沖縄です。

米軍基地近くのレストランでは昔からタコスが人気メニューでしたが、1984年に金武町でそれまでとは全く違う「新タコス」が登場。キャンプハンセン・ゲート前にあるパーラー「千里」で「タコライス」という新しい商品がお目見えしたのです。

経営者の儀保松三さんが考案した「タコライス」は、バーで人気のあったタコスの中身をご飯に載せたシンプルなもので、メキシコ風そぼろごはんのようなもの。

チーズやレタス、トマトなどをトッピングした現在のスタイルと比べると、ちょっと地味な印象だったようです。

11月19日㊎	天気		行事
	気温	℃	

満月

11月20日㊏	天気		行事
	気温	℃	

毛皮の日

　このオリジナルタコライスは地元で評判を呼び、やがて系列店の「キングタコス」でチェーン展開されて、一気に沖縄本島各地に広まっていきました。

　沖縄県内では1990年代から学校給食に採用されるなど、すっかりポピュラーな料理になったタコライス。

　メキシコ、アメリカ、日本の味が一体となったその味は、「チャンプルー文化」といわれる沖縄の食文化を象徴するもののようです。

　今ではスーパーで「タコスシーズニング」や「タコスミックス」といったスパイスが売られていますから、家でも簡単に調理ができます。ひき肉にシーズニングを合わせて炒め、白飯の上に乗せてレタスやトマト、チーズと一緒にトッピングすれば出来上がり。

　休日のブランチにもお勧めの一品です。

（沖縄県うまいもの同好会）

11月21日（日）	天気		行事	
	気温	℃		

二の酉

11月22日（月）	天気		行事	
	気温	℃		

小雪、いい夫婦の日、回転寿司記念日

アグロフォレストリー

　アグロフォレストリーは、植林と農業または畜産を組み合わせた複合的土地利用システムです。近年、農林業収益の安定性、景観や生物多様性など農村環境の向上、里山の防災面等から注目されています。わが国では、大分県豊後大野市の原木椎茸と和牛生産の林畜複合経営が代表例としてあげられます。同地区では、原木椎茸のほだ木用に伐採したクヌギの切り株から再生するひこばえを約20年かけて育てています。伐採後に繁茂するネザサを、繁殖牛の餌として放牧利用すると同時に、家畜排せつ物をクヌギの肥やしに利用します。繁殖牛は子牛生産の手段とともに、クヌギ林の下草管理の手段としても利用されています。クヌギの伐採や玉切り、駒打ち、収穫など椎茸生産の作業は晩秋から早春に集中し、和牛の飼料収穫等は春から秋に多く、作業労務が分散される点も林畜複合経営の利点です。

　定期的に伐採されるクヌギの株元は太く根は大地をしっかり捉え、地表部はネザサで覆われ、

11 月 23 日㊋	天気	行事	
	気温 ℃		

●勤労感謝の日　　　　　　　　　　　　　　　　　　　　　　　　　　　　　　　　外食の日

11 月 24 日㊌	天気	行事	
	気温 ℃		

オペラ記念日、鰹節の日

　地上部は細いため、台風による倒木や土壌の流亡を起こし難いなど、治山・防災機能を兼ね備えています。また、幼齢樹の多い里山には、絶滅危惧種のクロシジミ等が多く観察され、生物多様性保護の観点からも評価されています。このように、林畜複合経営は、里山を多く抱える中山間地域において、通年就労可能で収益性も比較的高く、里山の保全管理や生物多様性の保護に寄与する日本型のアグロフォレストリーとして期待されます。

（農研機構　西日本農業研究センター
　　　　　　　　　　千田　雅之）

11月25日㊍	天気		行事	
	気温	℃		

ハイビジョンの日

11月26日㊎	天気		行事	
	気温	℃		

ペンの日、いい風呂の日

飯ずし

　新潟県の村上地方は、裏日本の寒さと湿度が飯ずしをうまく発酵させ、美味しくするのに適した所です。

　秋に作った塩引き鮭と赤い腹子、そして野菜類が糀とほど良く調和し、絶妙な味のハーモニを奏でます。

　家庭では12月20日頃から作り始め、大晦日の年とり膳から正月にかけて食べるのが習わしです。酒の肴としても良く、それぞれの家庭で具材や作り方が微妙に違い、どれも「我が家の自慢の味」になっています。

　飯ずしは、作るのに手間がかかって大変なのですが、村上地方に伝わる代表的な郷土料理ですので、次の世代へと繋げていきたいと思います。

【材料】
米　　：5カップ
糀　　：500ｇ
塩引鮭：1／4本

11月27日㊏	天気		行事	
	気温	℃		

11月28日㊐	天気		行事	
	気温	℃		

税関記念日

数の子：200ｇ
腹　子：適量
大　根：１／２本
人　参：１本
ゆ　ず：適量
青　豆：１／２カップ
酒　　：１／２カップ
笹　　：50枚位
酢・塩：少々

【作り方】
①白米を普通より柔らかく炊き、少し冷まして
　から糀を混ぜ合わせ、電気釜で４時間くらい
　保温する（とろとろになるまで）。
②①に酒と塩少々を入れ混ぜ合わせる。そして
　冷ましておく。
③塩引鮭はひと口大に切り、お酢に４時間くら
　い漬けておく（長く漬けこむと白くなるので
　注意する）。
④数の子は前日から水に浸し、塩抜きしておく。

11月29日㊊	天気		行事
	気温	℃	

議会開設記念日

11月30日㊋	天気		行事
	気温	℃	

カメラの日、本みりんの日

⑤大根、人参は短冊切りにして、塩もみをして
　おく。人参はさっと湯がいて水を切り、自然
　乾燥をしておく。
⑥漬け込みを行う。
　まず、漬けこむ容器に笹を敷く。②③④⑤の
　具材（全部）を３等分して、一番下に「ねかせ
　た糀」を敷き、その上に具材を乗せ、笹を敷く。
　このように残りの３分の２を交互に積み、最後
　に笹を敷き、押し蓋をして、重しを乗せる。

　一週間くらいで食べられるようになります。食
べる前にゆずを散らすと、さらに美味しく出来上
がります。

（村上市　本間　キト）

秩父夜祭り
（埼玉県秩父市・秩父神社）

●節気・行事●

大　　雪　　7日
冬　　至　　22日
クリスマス　25日
大　　祓　　31日

●月　　相●

○満　　月　　19日
●新　　月　　4日

12月の花き・園芸作業等

花　　き

　冬花壇へのハボタンの植え付け。秋播き一年草苗への追肥。宿根草花への防寒マルチング。バラ大苗の花壇植付けと鉢上げ。春バラのための剪定。キクの冬至芽挿し。花壇用土、鉢用土の準備。庭木、花木への元肥の施用。落葉樹の剪定。マツの剪定と植替え。庭木の採種と播種。

野　　菜

　促成果菜類の定植。キャベツ、カリフラワー、ブロッコリー、タマネギ、チシャの定植。ミツバ伏込み株の堀上げ。ハクサイ、ダイコン、ホウレンソウ、カブ栽培跡地、果菜類作付予定地への石灰散布と耕起。ダイコン、ハクサイ、キャベツ、ハナヤサイ、カブ、ネギ、ホウレンソウ、菜類の収穫。ニンジン、ゴボウ、ハクサイの貯蔵。堆肥の積込み、ダイコン、菜類の病害防除。

果　　樹

　果樹類の防寒。ナシ、モモ、カキ、ウメ、イチジク、ブドウ、ビワの施肥。ナシ、ウメの剪定。ナシ苗木の移植。ブドウ、ナシ棚の取換え。果樹園の落葉処分。ビワに対する石灰硫黄合剤の散布。ミカン、ナシ、モモ、カキの害虫駆除のための機械油乳剤の散布。

12月 暦と行事予定表

	節　気　・　行　事	予　　　　定
1 ㈬	歳末助け合い運動、鉄の記念日、映画の日、エイズの日	
2 ㈭		
3 ㈮	障害者週間（9日まで）、個人タクシーの日	
4 ㈯	人権週間（10日まで）、新月	
5 ㈰	納めの水天宮、国際ボランティアデー、アルバムの日	
6 ㈪		
7 ㈫	大雪	
8 ㈬	こと納め、針供養、納めの薬師	
9 ㈭		
10 ㈮	世界人権デー、納めの金昆羅	
11 ㈯	胃腸の日、上弦の月	
12 ㈰	漢字の日	
13 ㈪	ビタミンの日	
14 ㈫		
15 ㈬	年賀郵便特別扱い	
16 ㈭	電話の日	
17 ㈮	飛行機の日	
18 ㈯		
19 ㈰	満月	
20 ㈪		
21 ㈫	納めの大師	
22 ㈬	冬至、ゆず湯	
23 ㈭		
24 ㈮	クリスマスイブ、納めの地蔵	
25 ㈯	クリスマス、終い天神	
26 ㈰		
27 ㈪	下弦の月	
28 ㈫	納めの不動	
29 ㈬		
30 ㈭	地下鉄記念日	
31 ㈮	年越し、大はらい、除夜の鐘	

固定種とF₁品種

種には誕生の過程で、固定種とF₁品種という分け方があります。

固定種

昔の人は野菜を収穫した後、一部を畑に残し、花を咲かせて種を採っていました。これを自家採種と呼び、これをまけば、親とほぼ同じ特性を持った野菜を収穫できます。しかし、他の株との交雑、栽培環境などにより遺伝的な変化が起こり、親と全く同じ特性が次世代に伝わらないこともあり、このような変化を利用して次世代が親より少し優れた種が得られることがあります。農民が何代にもわたって固定種を改良し現在の品種になりました。

ある地域で種の継承・保存が続けられた野菜を「在来種」といい、その中で京野菜、加賀野菜など在来種のなかでブランド化された野菜は「伝統野菜」と呼ばれます。

F₁品種

F₁とは、雑種第1代（first filial generation）の略です。異なる固定種同士を交配したF₁品種は生育が強健で揃いがよく、病気に強いなど優れた特性を示します。そのため経済栽培を行うためにはF₁品種を選ぶようになります。F₁の次世代は遺伝の法則に従いF₁と同じ特徴が出ない個体が現われます。F₁から種どりしても生産に利用できません。

在来種を作ろう

市場に出回る野菜はジャガイモなど栄養繁殖する野菜やマメ類を除き、種から栽培する野菜（種子繁殖）のほとんどはF₁品種と思われます。

しかし、固定種には野菜本来の食味、食感を持ち、調理の仕方次第で美味しく食べることができます。「在来種」を家庭菜園に取り入れることは、地域の品種を守ることになります。

（神奈川県種苗協同組合　成松　次郎）

知っておきたい漢方薬　その8
冷えによく効く漢方薬

寒さが本格化するにつれ、冷え症もつらさを増していきます。代表的不定愁訴である冷えの治療こそ、漢方薬の出番。特に冷えは東洋医学では「血」や「気」の停滞の代表的な症状とされ、万病のもととされています。漢方で冷えを一掃、病気を寄せ付けない健康を手に入れましょう。

全身が冷え、便がゆるく尿も多い。疲れやすく、お腹まわりや腰が冷えるタイプは、消化吸収機能が低下していて体温を作り出す力が低下しています。身体を温めると同時に、消化吸収を助ける人参湯がいいでしょう。

全身が冷えるものの、特に腰や下半身が冷える場合には八味地黄丸が処方されることも多いようです。

手足の先が冷たく、つめも白っぽい、くちびるは赤味が薄く、動悸があるようなタイプは、栄養状態が悪く、血液の巡りも滞っている状態です。身体を温め、血を補うとされる温経湯を服用するといいでしょう。月経痛や生理不順がともなう場合は、当帰芍薬散が処方される場合もあります。

手足が冷え、肌の色つやも悪い。つめの色がくすみ、ゲップが出やすい冷えの場合は、気血が停滞している状態。停滞しているので、末端まで気と血が行き渡っていないのです。足先や下半身は氷のように冷たいのに、上半身はのぼせていたり、熱感がある場合もあります。こうしたタイプの冷えには、気血の流れをよくし、同時に身体を温める作用のある漢方薬を。逍遥散や当帰四逆湯などが最適です。

自分の症状、体質にあった漢方薬を選び、根気強く服用し続ければ、ゆっくりでも確実に症状は改善されていきます。まずは続けることを目標に漢方治療を始めてみましょう。

（ライター　千羽　ひとみ）

12 月 1 日 ㊌	天気	行事
	気温　　　　℃	

歳末助け合い運動、鉄の記念日、映画の日、エイズの日

12 月 2 日 ㊍	天気	行事
	気温　　　　℃	

高級食材「えびいも」の味をお手軽に楽しめる「こえびちゃん」

　京都府から、京の伝統野菜の一つ「えびいも」の子・孫いも、「こえびちゃん」を紹介します。

　「えびいも」は18世紀末に、青蓮院の宮が長崎から持ち帰った芋を平野権太夫が栽培したところ、先の曲がった海老のような形の大型の芋ができたのが起源とされ、現在では、京都市だけでなく、福知山市、舞鶴市、亀岡市、京田辺市、京丹後市などで生産されています。

　平野権太夫は「えびいも」と棒鱈を炊き合わせた「いもぼう」を考案しました。京都では味のとりあわせが良いもの同士を「であいもん」と呼びますが、「いもぼう」は、京の大地と北の海の恵みが出会い、先人の知恵がつくりあげた、最高の「であいもん」です。

　「えびいも」の形は特殊な土寄せの技術で作られます。土寄せは生長を見ながら数回に分けてタイミングよく行わなければない手間と技術を要する作業です。海老の形のものは高級料理店への出荷が中心で、高価なことに加え、家庭調理には海老の形は皮を剥きにくくサイズも大

12月 3 日㊎	天気		行事	
	気温	℃		

障害者週間（9日まで）、個人タクシーの日

12月 4 日㊏	天気		行事	
	気温	℃		

人権週間（10日まで）、新月

きすぎるという声もありました。
　「こえびちゃん」は、海老の形の「えびいも」と同じ株から同時に収穫されます。「こえびちゃん」は通常のサトイモのように丸く小型の「えびいも」です。味も肉質のキメが細かく煮崩れしにくいという特徴も「えびいも」と同じです。
　「こえびちゃん」は、11〜12月に収穫盛期を迎え、翌2年月ごろまで出荷されます。高級食材「えびいも」の味を「こえびちゃん」でお手軽に楽しんでください。

（京都府農林水産部　流通ブランド戦略課
伊藤　俊）

| 12月 5 日 ⊕ | 天気 | 行事 |
| | 気温　　　　℃ | |

納めの水天宮、国際ボランティアデー、アルバムの日

| 12月 6 日 ㊊ | 天気 | 行事 |
| | 気温　　　　℃ | |

なまはげ

大晦日の夜、秋田県男鹿半島では「なまはげ」が1軒1軒訪れる。家に入るなり足を踏みならし、「泣ぐ子はいねがー」「悪りごどする子はいねがー」「怠け者はいねがー」などと大声で叫びながら家の中を歩き回る。

なまはげの怒涛の如き国訛り　　成田　孤舟

なまはげは、ケラという藁でできた蓑状のものをまとい、大きな仮面は角を持ち、牙をはやし、目は剥きだし、耳もとまで裂けた口である。手には出刃包丁や桶、御幣棒や台帳などを持ち、2匹、3匹が1組になって活動する。姿形は鬼のようだが、神様とあがめられている。

なまはげの正体みたりスキー帽　　日下部舟可

隠れていた子供達が、なまはげに見つかって引き出される。家の主人はなまはげをなだめて、お神酒とお膳でもてなす。ふるえながらお酌をする子供。仮面をちょっとずらしてお神酒を飲む様子から、見知った顔であることを認めた。少しホッとする。

なまはげのお面の裏側でニタリ　　大野　風柳

12月 7 日㈫	天気	行事
	気温　　　℃	

大雪

12月 8 日㈬	天気	行事
	気温　　　℃	

こと納め、針供養、納めの薬師

　なまはげと家族の問答もある。嫁は村一番の働き者で美人ということ、「確かに嫁は美人だが、朝寝はこくし、夜はカラオケざんまいではないか」となまはげが叱る。台帳で調べはついている。大人には作柄や漁の豊穣を告げ子供には訓戒を与えて家を去る。

なまはげの夜を秋田の磯料理　　前原　一菊
なまはげと秋田の旅で肩を組む　　近江あきら
なまはげのホテルの少し酔った足　髙橋　健

　ホテルにもなまはげは来る。年越しの客はロビーでなまはげを迎える。かなりの家を巡ってきたから、お神酒といえど効いてくる。踏みならす足も少し酔っている。泣く子や逃げ回る子もいて、にぎやかなロビーになる。なまはげのケラ（藁）を得ると幸せのなるといわれ、拾う人もいれば、ちゃっかり一本失敬する者もいる。大晦日の夜は更けていく。

なまはげが去り待つだけの除夜の鐘　森田克男

（NHK学園川柳講師　橋爪まさのり）

12月 9 日㊍	天気		行事	
	気温	℃		

12月10日㊎	天気		行事	
	気温	℃		

世界人権デー、納めの金昆羅

静岡県御前崎特産の「波乗り鰆」

　サワラは、北海道の一部を除く日本沿岸に広く分布し、定置網や曳き縄釣り漁業などで漁獲され、成長すると1mを超える大型の回遊魚です。成長とともに呼び名が変わる出世魚としても知られ、静岡県では、小型の若魚をサゴシ、大きく成長し成魚となったものをサワラと呼びます。

　漢字では魚偏に春（鰆）と書きますが、サワラの旬は地域によって異なり、関西では春が旬であるのに対し、静岡県では産卵期を前に餌を

たくさん食べて脂が乗る晩秋から冬にかけて旬を迎えます。焼き物やフライのイメージが強いサワラですが、冬に御前崎周辺の海域で漁獲され御前崎港に水揚げされる脂の乗った高鮮度のサワラは、刺身でも大変美味しく食べられます。

　この御前崎特産のサワラをカツオに次ぐ特産品にすることを目指して、地元の漁協（南駿河湾漁協）、漁業者、仲買業者が連携して平成30年度に立ち上げた新ブランドが「波乗り鰆」です。

12 月 11 日㊏	天気	行事
	気温　　　　℃	

胃腸の日、上弦の月

12 月 12 日㊐	天気	行事
	気温　　　　℃	

漢字の日

　「波乗り鰆」は、曳き縄釣りで一尾ずつ丁寧に釣り上げたサワラを船上で活〆処理（即殺・脱血）し、脂肪量10％以上などの独自の厳しい認定基準をクリアした高鮮度・高品質のサワラのみに専用のタグを付け、他のサワラと差別化しています。

　なお、ブランド名は、サーフィンが盛んな御前崎にちなんで、サーフボードが波の上を滑る光景と釣り上げる際のサワラの姿が似ていることに由来しています。

　市場では品質の良さが認められ、高値で取引される貴重な「波乗り鰆」の刺身を食べに、御前崎に足を運んでみてはいかがでしょうか。

（静岡県　水産振興課　霜村　胤日人）

12月13日㈪	天気		行事	
	気温	℃		

12月14日㈫	天気		行事	
	気温	℃		

SEA＆AIR輸送によるイチゴ輸出

　イチゴ輸出では、輸送費を抑えるために船便が注目されています。しかし、船便は輸送日数がかかる上、一度に運ぶ単位（ロット）が大きすぎるなど、いくつかの課題があります。船便に航空便を併用し（SEA＆AIR輸送）、輸送費を抑えつつ、迅速なイチゴの小ロット輸出を行った例を紹介します。

　九州で栽培したイチゴ「恋みのり」を宙吊り型容器に入れ、博多港から沖縄港まで船便で、那覇空港から香港国際空港まで航空便で輸出し

ました。その結果、博多港から香港まですべて船便で輸送した場合は到着翌日に果実表面積の1％、到着6日目に同13％の損傷が生じたのに対し、SEA＆AIR輸送した場合は到着翌日、6日目とも同0～2％の損傷が生じるのみにとどまりました。SEA＆AIR輸送は輸送日数が少ないため、輸送中における果実成分の変化や微生物の繁殖が緩やかで、輸送後の品質低下が生じにくいと考えられます。

　なお、本輸送ルートでは沖縄港／那覇空港で

12 月 15 日 ㊌	天気	行事
	気温　　　　℃	

年賀郵便特別扱い

---

12 月 16 日 ㊍	天気	行事
	気温　　　　℃	

電話の日

積替えを行うため、船便に比べて、より多くの衝撃が発生します。したがって、流通適性が高い品種や、緩衝性の高い包装資材の利用が必要である点に注意してください。

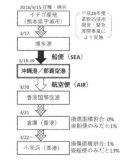

2018/3/15 収穫・梱包
イチゴ産地
（熊本県宇城市）

平成28年度
革新的技術
開発・緊急
展開事業に
より実施

3/17
博多港

3/18-19
船便（SEA）
沖縄港／那覇空港

3/20
航空便（AIR）
香港国際空港

3/21
倉庫（香港）　損傷面積割合: 0%
※船便のみだと1%

3/22～
小売店（香港）　損傷面積割合: 1%
※船便のみだと13%

（元・農研機構　九州沖縄農業研究センター
現・農研機構　西日本農業研究センター
遠藤（飛川）みのり）

12月17日㊎	天気		行事	
	気温	℃		

飛行機の日

12月18日㊏	天気		行事	
	気温	℃		

納めの観音

毛呂山特産のゆずを使ったゆず巻き

　埼玉県毛呂山町のゆず栽培の歴史は古く、江戸時代の頃より始まり、日本最古のゆず産地の一つと言われています。毛呂山のゆずは、「桂木ゆず」の名で全国に知れ渡り、気品ある香りが特徴です。そのゆずを使った「ゆず巻き」をご紹介します。ゆず巻きは、誰にでも簡単に作れ、シンプルで上品なお正月料理の一品としてとても重宝されています。

　作り方は、まず大根の皮をむき、薄く輪切りにし、大根の重さの３％の塩で下漬けをしてお

きます。巻ける程度にやわらかくなったら水きりをし、さらに酢をかけ混ぜ合わせ、20分から30分おいて、再度水切りをします。

　次に、きれいに洗ったゆずの皮を薄くむき、大根の幅くらいの長さの細切りにします。それを下漬けした大根で一本ずつ丁寧に巻いて容器につめていきます。その上から、砂糖を酢で溶いた調味液を静かにかけ、表面にラップをし、液が上にかぶるよう静かに押します。冷蔵庫で保存し、10日程度で食べられますが、１か月く

12 月 19 日 ㊐	天気		行事	
	気温	℃		

満月

12 月 20 日 ㊊	天気		行事	
	気温	℃		

道路交通法施行記念日、ブリの日

らいすると、味もなじみ、色も白くきれに仕上がり最高です。ぜひ作ってみてください。

　私たちの加工グループでは、ゆず巻きの他に、特産のゆずをふんだんに使用したゆずジャムや、あんにゆずを練りこんだゆずまんじゅうなどの加工品も作っています。小さいころからゆずになじんでもらうよう、学校給食にも取り入れていただきながら、より一層の消費拡大につなげていければと思います。

【材料】
　下漬けした大根：1 kg分
　ゆず：2 〜 3 個

【調味液】砂糖：160g、酢：80cc、
　下漬け用の塩：大根の重さの 3 ％、酢：50cc

（埼玉県　ふるさとの味伝承士

粟田　茂子）

12月21日㈫	天気		行事	
	気温	℃		

納めの大師

12月22日㈬	天気		行事	
	気温	℃		

冬至、ゆず湯

今も心に残る連続テレビ小説ランキング⑫

連ドラ視聴者投票の12位は「赤毛のアン」で有名なモンゴメリの児童文学を日本語訳して広め、明治から昭和の混乱期に翻訳家として活躍した村岡花子の半生を描いた「花子とアン」です。劇中には障害の親友として登場する柳原白蓮にもスポットが当てられ、花子とともに激動の時代を生き抜いた人々の姿もいきいきと描かれています。アンのように明日を信じ、夢見る力を信じて生きた花子の波乱万丈の半生が勇気を与えてくれる作品です。

●ものがたり

山梨の貧しい家に生まれ、東京の女学校で英語を学んだ花子は、やがて翻訳家の道を歩み始めます。関東大震災や戦争を乗り越えながらも、花子は常に子どもたちに夢と希望を送り届けていきます。そんな花子を心から理解してくれたのは、「腹心の友」となった葉山蓮子でした。

苦しい恋を経て結ばれた夫、村岡英治にも支えられ、やがて花子は「赤毛のアン」を出版。花子にとってこの本は、生きた証そのものでし

12月23日㊍	天気		行事
	気温	℃	

12月24日㊎	天気		行事
	気温	℃	

クリスマスイブ、納めの地蔵

た。アンを師として夢見る力を信じ、明治から昭和の世を懸命に生きた花子の波瀾万丈の半生記は、実にドラマチックです。
●制作【原案】村岡恵理【脚本】中園ミホ【音楽】梶浦由記【主題歌】絢香「にじいろ」【語り】美輪明宏
[出演] 吉高由里子、伊原剛志、室井 滋、仲間由紀恵、鈴木亮平、賀来賢人、黒木 華ほか
●エピソード
　本作でナレーションを務めた美輪明宏の番組終わりの言葉「ごきげんよう」が神秘的だと話題になりました。
　脚本の中園ミホさんは、「吉高さんの演じる花子に日本中のみなさんが恋をして、毎朝ときめいていただけたらこんなに幸せなことはありません」とコメント。作者と出演者の息がぴったり合った名作となりました。

12月25日(土)	天気		行事	
	気温	℃		

クリスマス、終い天神

12月26日(日)	天気		行事	
	気温	℃		

伝統の「凍みこんにゃく」

茨城県には、江戸時代から続く製法で作られる「凍みこんにゃく」という伝統食材があります。

こんにゃくの原料となる蒟蒻芋の栽培は、江戸時代、水戸藩（現茨城県）北部の山間地域で盛んに行われていました。蒟蒻芋は重く、収穫後も腐りやすいため、流通に不向きでした。凍みこんにゃくは、できあがったこんにゃくを乾燥させて水分を抜くことで、保存・輸送の問題を解消した加工品です。発祥の地域や時期の詳

細はわかりませんが、水戸藩には江戸中期、久慈郡天下野村（現常陸太田市天下野町）の医師木村謙次が、丹波国（兵庫県・京都府）から持ち帰って伝えたとされ、以降農閑期の副業として生産されるようになりました。

凍みこんにゃくは12月から2月の厳冬期、藁を敷き詰めた田んぼの上に、芋から作ったこんにゃくを薄くスライスして並べ、自然乾燥・水かけ・自然凍結を繰り返し、約1か月かけて作られます。昼夜の寒暖差があり降雪が少なく、

12月27日㊊	天気		行事
	気温	℃	

下弦の月

12月28日㊋	天気		行事
	気温	℃	

納めの不動

冷たい山風が吹き下す県北地域は生産に適しています。

　自然の力で乾燥しスポンジ状になった凍みこんにゃくは、煮つけやフライなど各家庭の調理方法で楽しまれています。また、食物繊維やカルシウム量が乾燥前のこんにゃくの30倍にもなり、乾燥したままであれば50年もつと言われ、近年は健康食品としても注目される保存食です。

　現在、凍みこんにゃくの生産農家は、全国でも茨城県の県北地域に数軒しかありません。幻の食材とも言われる貴重な食材ですが、インターネットでも購入することができますので、茨城県が守り続ける伝統をぜひ味わってみてください。

（茨城県営業戦略部 販売流通課

菊池　涼子）

12 月 29 日㊌	天気	行事	
	気温　　　　℃		

12 月 30 日㊍	天気	行事	
	気温　　　　℃		

地下鉄記念日

こつこつ貯めてます

　木の大きさ、木がどれくらい成長したかを評価する際に幹の直径や樹高だけでなく、重さで評価することもあります。それは木を切り倒して幹の直径、樹高と葉、枝、幹、根の重さを測定して「幹の直径と木全体の重さ」の関係を導き出し、重さを推定する式を作ります。この式を作ることで、幹の直径を測定することで木全体の重さを知ることができます。実際には根を掘り出して重さを測る作業は大変なため、根を除いた葉、枝、幹の重さを推定する式が多く調べられています。

　昨今の地球温暖化の問題で木がどれくらいの炭素を蓄積しているか評価されており、その際に木の重さを推定する式が用いられています。高知県のモミの林で過去に木の大きさを測った場所があり、同じ場所の同じ木の大きさを測ってどれくらい大きくなったのか調べてみると、1968年に幹の直径が73cmだったモミの木が50年後の2018年には92cmになっていました。50年かかってモミの木の幹の直径は、19cm大きくなり

コラム

手紙の「拝啓」「敬具」の起源は？

　私的な手紙ではほとんど使われませんが、公用の手紙などでは、いまでも定形的な表現や形式が使われています。

　それは「拝啓」などの頭のことばとそれに続く相手や自分の状況を述べる前文があり、そのあとに用件である本文が続きます。そして、文末に頭のことばに対応した「敬具」などの表現で締めくくるのが一般的です。

　さてこの前文や本文にある古めかしい文句はどこから来たのでしょうか？

それは中国が起源で、文士が使う書簡文が始まりでした。

　「拝啓」は、「拝」がおじぎで、「啓」が述べることを意味しており、「謹んで申し上げます」となります。「拝啓」に対応する「敬具」は、「具」が伴うという意味を持っていて、戦国武士の具足もここからきていますが、「謹んで申し上げました」という意味になります。

ました。木の幹は毎年同じ大きさで太ることはないのですが、同じ大きさで太ったと仮定すると1年あたり、わずか4㎜しか成長していませんでした。モミの木の重さを推定する式が調べられているので、どれくらい重さが増えたか計算すると、50年間にこのモミの木1本で2.18t（根を含む）重さが増えていることが分かりました。木の重さの約半分が炭素と言われているので、50年間でこのモミの木1本は約1tの炭素を蓄積したと考えられます。このように、モミの木はゆっくりではありますが少しずつ大きくなって、炭素も吸収し蓄積し続けています。

（〔国研〕森林総合研究所　四国支所

　　　　　　　　　　　　　　米田　令仁）

高血圧に塩分は天敵

高血圧は、いろいろと深刻な病気を引き起こす原因になるので、昔は高血圧を見分ける方法として、「赤ら顔の人は血圧が高い」「いびきをかく人は高血圧」など、ことわざとも俗説とも思える言い方があったようです。

予防については、「高血圧には酢が良い」「高血圧にはうす味が良い」と昔から言われ、さっぱりしたものを食べるよう心掛けられていたようです。関西のうす味は有名ですが、対照的に、漬物や塩蔵品の消費量が多い東北地方では、かつては関西に比べて高血圧や脳卒中の人が多い実態がありました。

近年では、そのことが健康問題の課題としてクローズアップされ、東北では独自に減塩運動が行われ、状況は徐々に改善されて脳卒中の患者さんも減ってきているそうです。

年齢を重ねると、例えば朝食に、塩の効いた鮭、漬物、それに梅干しなどを新米とともに食べるのが至福の喜びですが、このような食事を続けていたら、脳卒中へまっしぐらということ

になりかねません。

食塩の摂取が高血圧に影響していることは間違いないわけで、食塩中のナトリウムがその原因であるようです。

しかし、体にとって食塩は水と並んで必要な物質で、食塩の制限はなかなか難しいものがあります。

それでは、高血圧にならない理想的な食塩量はどの位でしょうか。それは1日に10g以下と言われています。

なかなか厳しい数字ですが、機会があれば、「食品成分表」を眺めて、食塩の摂取量を調べてみると良いでしょう。

減塩しょうゆを試してみたり、酢の物を増やしたりして、脳卒中予防に工夫をしてみて下さい。

参考図書
「からだと食べもの、おもしろことわざ辞典」
三笠書房

複合生活慣習病に注意！

「複合生活慣習病」とは、動脈硬化を促進させる高血圧、高脂血症、糖尿病、肥満などの生活習慣病を複数持っている状態を言います。

高血圧や高脂血症などの生活習慣病は、それぞれが動脈硬化を進める原因になります。

気をつけたいのは、これらの生活慣習病が重なると、それぞれは軽症でも、合わさることで飛躍的に動脈硬化が進行し、「心筋梗塞」など危険な病気を引き起こす可能性が高まります。

このような状態を一般的に「メタボリックシンドローム」と呼びます。先進国で患者が増えていて、アメリカでは4人に1人が当てはまるそうです。

「メタボリックシンドローム」を要素別に区分すると、大きく4つに分けられます。

一番目の要素が「肥満」です。その他は「高脂血症」「高血圧」「糖尿病」。

いずれも動脈硬化の危険因子になり得ます。具体的な数字を示すと、「肥満」は、おへそ周りの腹囲が男性で85cm以上の人、女性の場合は

90cm以上の人。「高脂血症」は、中性脂肪の値が150mg／dℓ以上、またはHDLコレステロールが40mg／dℓ未満の人。「高血圧」は、収縮期血圧が130mmHg以上、拡張期血圧が85mmHg以上。「糖尿病」は空腹時血糖値が110mg／dℓ以上が目安となります。

持っている要素の数と動脈硬化による心臓病の発症率の関連性を調査すると、個々の要素は軽症程度であっても、重複して要素を持っている人は、心臓病の発生率が高いことが明らかになりました。これは複数の要素が悪い相乗効果を生みだしているためだと考えられます。

肥満を含めて3つ以上の要素を持っている人は「メタボリックシンドローム」の状態です。まずは食事や運動などによって生活習慣を変えていくところから始めましょう。

メートル法、尺貫法換算早見表

メートル法換算早見表

		尺 貫 法→メ ー ト ル 法		
区分	尺貫法	計 量 単 位 比	メ ー ト ル 法	
長さ	1 寸	0.1 尺	3.03 センチメートル	(cm)
	1 尺	10／33 メートル	0.303030303 メートル	(m)
	1 間	6 尺	1.818 メートル	(m)
	1 町	60 間	109.09 メートル	(m)
	1 里	36 町	3927.27 メートル	(m)
	1 里	36 町	3.93 キロメートル	(km)
面積	1平方寸	0.01 平方尺	9.18 平方センチメートル	(c㎡)
	1平方尺	(10／33)² 平方メートル	0.09 平方メートル	(㎡)
	1歩(坪)	400/121 平方メートル	3.3057851 平方メートル	(㎡)
	1 畝	30 歩(坪)	99.17 平方メートル	(㎡)
	1 畝	30 歩(坪)	0.99 アール	(a)
	1 反	10 畝(300坪)	991.73 平方メートル	(㎡)
	1 反	10 畝(300坪)	9.92 アール	(a)
	1 町	10 反(3,000坪)	9917.35 平方メートル	(㎡)
	1 町	10 反(3,000坪)	0.99 ヘクタール	(ha)
体積	1立方尺	(10／33)³ 立方メートル	0.02782 立方メートル	(m³)
	1 立坪	216 立方尺	6.0105184 立方メートル	(m³)
	1 升	$\frac{2401}{1331000}$ 立方メートル	0.00180 立方メートル	(m³)
	1 升	$\frac{2401}{1331000}$ 立方メートル	1.80385 リットル	(ℓ)
	1 斗	10 升	0.01804 立方メートル	(m³)
	1 斗	10 升	18.03856 リットル	(ℓ)
	1 石	10 斗	0.18039 立方メートル	(m³)
	1 石	10 斗	180.38563 リットル	(ℓ)

(注) 1ha = 100 a = 10,000 ㎡　1 ℓ = 0.001000028m³

尺貫法換算早見表

		メ ー ト ル 法→尺 貫 法		
区分	メ ー ト ル 法	計 量 単 位 比	尺 貫 法	
長さ	1センチメートル	$\left(\frac{1}{10}\right)^2$ メートル	0.33	寸
	1メートル		3.3	尺
	1メートル		0.55	間
	1キロメートル	10³ メートル	550.00	間
	1キロメートル	10³ メートル	9.17	町
	1キロメートル	10³ メートル	0.25	里
面積	1平方センチメートル	$\frac{1}{10^4}$ 平方メートル	0.11	平方寸
	1平方メートル		10.89	平方尺
	1平方メートル		0.3025	坪
	1アール	10² 平方メートル	1.008	畝
	1アール	10² 平方メートル	30.25	坪
	1ヘクタール	10⁴ 平方メートル	1.008	町
	1ヘクタール	10⁴ 平方メートル	3025.00	坪
	1平方キロ	10⁶ 平方メートル	100.83	町
	1平方キロ	10⁶ 平方メートル	302500	坪
積	1立方メートル		35.937	立方尺
	1立方メートル		0.166	立坪

区分	その他の単位	計量単位比	メートル法
長さ	1 イ ン チ	$\frac{1}{12}$ フィート	2.54 センチメートル
	1 フ ィ ー ト		0.305 メートル
	1 ヤ ー ド	3 フィート	0.911 メートル
	1 マ イ ル	5,280 フィート	1.609 キロメートル
面積	1 エ ー カ ー	4,840 平方ヤード	40.468 アール
	1 エ ー カ ー	4,840 平方ヤード	4046.8 平方メートル

主要農産物の容量と重さの換算表

品　　　　名	単位	メートル法単位	品　　　　　　名	単位	メートル法単位	品　　　　　　名	単位	メートル法単位
玄　　　　　米	1石	0.15 t	ア　　　　　ワ	1石	0.1275 t	リョクトウ	1石	0.15 t
精　　　　　米	1升	1.425 kg	ヒ　　　　　エ	1石	0.075 t	ナ　タ　ネ	1石	0.12 t
酒　　　　　米	1石	0.15 t	キ　　　　　ビ	1石	0.1125 t	ゴ　　　マ	1石	0.114 t
小　　麦(玄麦)	1石	0.136875 t	モ　ロ　コ　シ	1石	0.1305 t	牛　　　乳	1石	0.1875 t
大　　麦(玄麦)	1石	0.10875 t	ソ　　　　　バ	1石	0.1125 t	雑　　　穀	1升	1.12 kg
大　　麦(精麦)	1升	1kg	ダ　　　イ　　　ズ	1石	0.129 t	ラ　ッ　カ　セ　イ	1升	1.128 kg
裸　　麦(玄麦)	1石	0.138775 t	エ　ン　ド　ウ	1石	0.135 t	種　　も　　み	1合	101 g
裸　　麦(精麦)	1升	1.1 kg	ソ　ラ　マ　メ	1石	0.126 t	レ　ン　ゲ　種　子	1合	132 g
エ　ン　麦(玄麦)	1石	0.07875 t	イ　ン　ゲ　ン	1石	0.135 t	ダ　イ　ズ　種　子	1合	129 g
ラ　イ　麦(玄麦)	1石	0.141375 t	ア　　　ズ　　　キ	1石	0.144 t	ダ　イ　コ　ン　種　子	1勺	12.75 g
トウモロコシ(乾燥)	1石	0.13125 t	サ　　　サ　　　ゲ	1石	0.144 t	タ　マ　ネ　ギ　種　子	1勺	9 g

郵便料金一覧表

通常郵便物の料金

令和2年9月1日現在

種類	内容	重量	料金
第一種（封筒）	定形郵便物	25gまで	84円
		50gまで	94円
	定型外郵便物（規格内）	50gまで	120円
		100gまで	140円
		150gまで	210円
		250gまで	250円
		500gまで	390円
		1kgまで	580円
	定型外郵便物（規格外）	50g以内	200円
		100g以内	220円
		150g以内	300円
		250g以内	350円
		500g以内	510円
		1kg以内	710円
		2kg以内	1,040円
		4kg以内	1,350円
第二種	通常はがき		63円
	往復はがき		126円
第三種（承認を受けた定期刊行物・開封）	下記以外の第三種郵便物	50gまで	63円
		50gを越え、1kgまで50gまでごとに	8円増
	毎月3回以上発行する新聞紙1部又は1日分を内容とし、発行人又は売りさばき人から差し出されるもの等	50gまで	42円
		50gを超え、1kgまで50gまでごとに	6円増
第四種（開封）	通信教育用郵便物	100gまで	15円
		100gを超え、1kg（一部3kg）まで100gまでごとに	10円増
	点字郵便物、特定録音物等郵便物	3kgまで	無料
	植物種子等郵便物	50gまで	73円
		75gまで	110円
		100gまで	130円
		150gまで	170円
		200gまで	210円
		300gまで	240円
		400gまで	290円
		400gを超え、1kgまで100gまでごとに	52円増
	学術刊行物郵便物（日本郵便株式会社の指定するもの）	100gまで	37円
		100gを超え、1kgまで100gまでごとに	26円増

郵便物の重量・大きさの制限

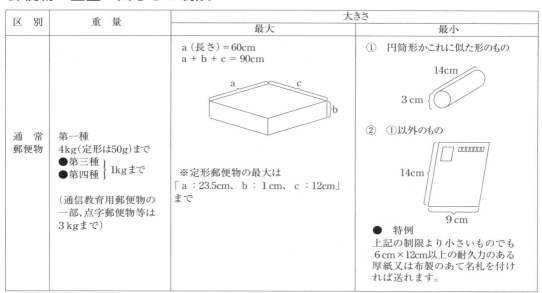

区　別	重　量	大きさ	
		最大	最小
通　常 郵便物	第一種 4kg（定形は50g）まで ●第三種 ●第四種　}1kgまで （通信教育用郵便物の一部、点字郵便物等は3kgまで）	a（長さ）＝60cm a＋b＋c＝90cm ※定形郵便物の最大は「a：23.5cm、b：1cm、c：12cm」まで	①　円筒形かこれに似た形のもの 14cm　3cm ②　①以外のもの 14cm　9cm ●　特例 上記の制限より小さいものでも6cm×12cm以上の耐久力のある厚紙又は布製のあて名札を付ければ送れます。

特殊取扱の料金

種　類	区　別	段　階	料　金
書　留	現金書留 損害要償額 50万円まで	損害要償額 1万円まで	435円
		損害要償額1万円を超える5千円までごとに	10円増
	一般書留 （現金書留以外） 損害要償額 500万円まで	損害要償額 10万円まで	435円
		損害要償額10万円を超える5万円までごとに	21円増
	簡易書留	損害要償額5万円まで	320円
速　達	通常郵便物	250gまで	290円
		1kgまで	390円
		4kgまで	660円
特定記録			160円
※ 引受時刻証明			320円
※ 配達証明	差し出しの際		320円
	差し出し後		440円
※ 内容証明	謄本1枚		440円
	2枚目から1枚ごとに		260円増
	謄本閲覧		440円
代金引換			265円
※ 本人限定受取郵便			105円
※ 特別送達			570円
配達日指定郵便	第一種郵便物、第二種郵便物、及び第四種郵便物（点字郵便物及び特定録音物等郵便物に限る。）	原則として、配達予定日の翌日から起算して10日以内の日。 （（　）内は、日曜日又は休日を指定した場合の料金）	32円 （210円）

（注1）　※印は、書留（簡易書留を除く）としたものに限り、この取扱いをします。
（注2）　書留や速達にする場合は、通常郵便物の料金に特殊取扱の料金を加算してください。

出産・長寿の祝

着帯祝	妊娠5ヵ月目に帯を締める式。これを岩田帯ともいう。多く戌の日を選んで行う。
七夜の祝	赤ちゃんが生まれて7日目の祝、この日命名。
宮参	男子は生後31日目、女子は33日目に産土神に詣でる式。西京地方では100日目に行うところもある。
食初祝	生後120日目にごはん、魚を食べさせる祝。
初誕生	赤ちゃんが生まれて満1年の誕生日に行う祝。
初節句	生後初めての節句で、女子は3月3日の雛祭、男子ならば5月5日の端午を祝う。
七五三祝	男女共3歳ならば髪置、男児5歳が袴着、女児7歳を帯解の祝いとして、いずれも11月15日に産土神に参詣する。
就学祝	子女が満6歳になり、初めて学校に入学するとき行う。
還暦の祝	本卦返りの祝いともいい、男女60歳の誕生日に行う。
古希の祝	人生70古来稀なり——というより長命のめでたさを祝う。70歳の誕生日に紅白の餅を作って知己に配る。
喜の字祝	77歳の誕生日に行う。77(七十七)の3字を合すると草書の喜の字に似ているということで餅、扇子、帛紗に喜の一字を書いて配る。
八十の祝	餅などを配って祝う。
米の字祝	88歳の誕生日に行う。88(八十八)の3字を重ねると米の字になるということで祝う。
白の字祝	99歳の誕生日に行う。百から一をとれば九十九になることに因む。
百の字祝	文字通り百歳のおめでたい祝。

時候

正月	新春の候、初春の候、謹賀新年		
1月	厳冬の候、寒気厳しい折りから、酷寒のみぎり、厳しい寒さが続きます	7月	盛夏の候、猛暑のみぎり、暑さの厳しい折り、暑中お見舞申し上げます
2月	立春の候、余寒のみぎり、春寒の候、立春とは名ばかりの寒い日が続きます	8月	残暑の候、炎暑の候、晩夏の候、まだまだ暑さの厳しい今日この頃
3月	早春の候、春光うららかな季節となりました、ようやく春めいてきました	9月	初秋の候、立秋の候、さわやかな初秋の季節となりました
4月	陽春の候、春暖の候、桜花の節、春色日増しに心地好く感じられる季節となりました	10月	仲秋の候、秋冷の候、紅葉の節、菊香る好季節となりました
5月	新緑の候、若葉の候、風薫るさわやかな季節となりました	11月	晩秋の候、霜月の候、向寒の折りから、朝夕はめっきり冷え込む昨今
6月	初夏の候、梅雨の候、めっきり夏めいてまいりましたうっとうしい梅雨の季節となりました	12月	師走の候、寒冷の候、年末ご多忙の折りから、あわただしい年の瀬を迎え

日本列島、北から南まで美味珍味、郷土自慢の一品

お国じまん

北海道 道内全域

幻の魚から資源復活で再び庶民の魚に 「北の春告魚『にしん』をどうぞ」

　北の春告魚と呼ばれる「にしん」が近年大漁に沸いています。

　30cm を超える立派な漁体で価格も手ごろです。

　新鮮なら刺身でも食べられますが、1 番は何といってもシンプルな塩焼きで。

道内全域

（記事：42 頁掲載）

青森県 田子町

「たっこにんにく」

　畑で収穫したての田子町自慢の「たっこにんにく」です。

　6 月 20 日前後〜7 月 10 日まで収穫最盛期を迎えます。

田子町

（記事：114 頁掲載）

岩手県

県北地域

郷土料理の 「豆腐田楽」

岩手県は豆腐の消費量が全国一と言われています。

豆腐田楽は全国各地で作られていますが、元祖といえるのが岩手の郷土食・豆腐田楽です。

県北地域

（記事：68 頁掲載）

宮城県

みやぎの郷土料理 「おくずかけ」

乾しいたけのだしをきかせた汁で人参や豆腐、油揚げ、豆麩などを煮込み、白石温麺を加えて、片栗粉でとろみをつけた汁物です。

桃生地方
遠田地方
白石市

（記事：156 頁掲載）

秋田県 秋田市

諸々の菓子を越えて美味なるお菓子

「諸越」は、秋田を代表する銘菓。

1705年に四代藩主佐竹義格公に献上。「これは諸々の菓子を越えて美味である」とのお言葉を頂戴し、それが「諸越」の名前の由来と伝えられております。

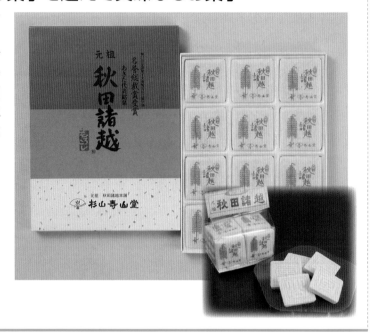

（記事：182頁掲載）

山形県 上山市東地区

地域の宝「小笹うるい」

「小笹うるい」は山菜特有のえぐみが少ないので生でも食べやすく、さまざまな食材とも相性抜群です。

（記事：76頁掲載）

福島県 会津地域

スタミナアップの料理に欠かせない「アスパラガス」

栄養豊富で疲労の回復やスタミナアップにアスパラガス料理が一番。

現在では長期間出回り、料理食材に欠かせません。

（記事：100頁掲載）

福島県

「果物王国 福島」

JGAP 認証農場

登録番号 070000032

県内では多くの果物が栽培されていています。

特に「まるせい果樹園」の桃は有名です。

安全・安心・真心込めて育てた新鮮な桃を届けます。

▲おいしい献上もも「あかつき」

（記事：38頁掲載）

茨城県 県北地域

伝統の 「凍^しみこんにゃく」

江戸時代から続く製法で作られる茨城の伝統食材「凍みこんにゃく」。生産農家は全国でも茨城県に数軒しかない、幻の食材です。煮つけやフライ、みそ汁などで楽しめ、近年は健康食品としても注目されています。

大子町
常陸太田市 県北地域

（記事：232 頁掲載）

栃木県 県内北部

郷土の料理 「三五八床」

三五八床で漬けた大根の漬物です。ほんのりと甘みが感じられ、おいしくいただけます。

県内北部

（記事：50 頁掲載）

群馬県

藤岡市

美味しく日持ちがいいのが自慢　自慢のいちご「やよいひめ」

大粒で糖度が高くまろやかな酸味と上品な鮮紅色の「やよいひめ」。

群馬県が育成した「とねほっぺ」と栃木県が育成した「とちおとめ」を交配した群馬県オリジナル品種です。

藤岡市

（記事：62 頁掲載）

埼玉県

毛呂山特産のゆずを使った　「ゆず巻き」

「桂木ゆず」の名で全国に知れ渡った毛呂山産ゆずを使ったゆず巻きは、上品なお正月料理の一品として、とても重宝されています。

毛呂山町

（記事：228 頁掲載）

千葉県 九十九里町

いわしのごま漬け

いわしの好漁場である九十九里海岸。

いわしのごま漬けは郷土料理として、日常のおかずに、酒の肴に、行事食などに親しまれています。

九十九里町

（記事：202頁掲載）

東京都 都内全域

露地栽培イチゴ新品種「東京おひさまベリー」

果実が傷みにくいなどの特徴を持つ「東京おひさまベリー」は甘くてほど良い酸味があり、果肉まで赤く、フローラルな香りが感じられます。

都ではこの新品種の普及キャンペーンを進めていきます。

都内全域

（記事：72頁掲載）

神奈川県

横浜市

江戸前を代表する食材 「アナゴ」

　江戸前のアナゴ。特に横浜市金沢沖で獲れるものは味がよいことで知られています。

　柔らかい身にほどよい脂肪があり、梅雨どきになれば身も厚さを増し、食べごろとなります。

横浜市

（記事：110頁掲載）

新潟県

「飯ずし」

　秋に作った塩引き鮭と赤い腹子、そして野菜類が糀とほど良く調和し、絶妙な味のハーモニを奏でます。

　大晦日の年とり膳から正月にかけて食べるのが習わしです。

　酒の肴としても良く合います。

村上地方

（記事：214頁掲載）

石川県

能美市 末信町

白山の伏流水が湧き出る能美市 「能美のはとむぎ」

特産である「はとむぎ」は、主にティーパック用のお茶、PETボトルなどにして販売しています。

近年の健康志向の高まりと安全・安心な国産を求める方々に好評です。

能美市 末信町

（記事：170頁掲載）

山梨県

県内全域

「やまなしブランド」の牽引役を紹介します

ブラックキング®
　着色良好で大きな粒は食べ応え十分のブドウです。

やまなしジビエ®
　「やまなしジビエ®」の認証は厳格な品質・衛生基準に基づいた高品質の証。

富士の介®
　山梨の名水で育まれた新ブランド魚です。

県内全域

（記事：126頁掲載）

長野県

県内全域

信州の伝統野菜について

近年、県内では、伝統野菜の存在意義を見直し、復興させようという取り組みが各地で広がり、平成 18 年に「信州伝統野菜認証制度」を創設しました。

県内全域

信州の伝統野菜栽培地 MAP

松代一本ねぎ　黒姫もちもろこし
ぼたごしょう　たたら大根
小布施丸なす　戸隠大根
小森茄子　ねずみ大根
八町きゅうり　灰씨辛味大根
松代青大きうり　上平大根
沼目越瓜　村山早生牛蒡

内鎌ゆうがお

稲核菜
松本一本ねぎ
羽渕キウリ
番所きゅうり
松本越瓜
穂高いんげん
切葉松本地大根
牧大根
保平蕪
穂高山葵

木曽菜　細島蕪
開田きゅうり　三岳黒瀬蕪
芦島蕪　吉野蕪
王滝蕪　あかたつ
開田蕪

野沢菜　前坂大根
ぼたんこしょう　常盤牛蒡
ししこしょう　坂井芋

山口大根

そら南蛮　佐久古太きゅうり
ひしの南蛮　御牧いちご

諏訪紅蕪　糸萱かぼちゃ
乙事赤うり　上野大根
河童瓜　後山地大根

羽広菜　赤須さといも

飯田かぶ菜　清内路かぼちゃ
源助蕪菜　本しま瓜
飯田冬菜　くだりさわ
千代ネギ　下栗芋
駒屋ねぎ　清内路黄いも
鈴ヶ沢南蛮　平谷いも
志げ子なす　むらさきいも
鈴ヶ沢なす　親田辛味大根
ていざなす　赤根大根
伍三郎うり　赤石紅にんにく
鈴ヶ沢うり　下條にんにく
清内路きゅうり　清内路にんにく
中根うり

※一部の野菜は広範囲に定着しています。

（記事：186 頁掲載）

岐阜県

お米の粉と黒砂糖で作った桃の節句の「からすみ」

桃の節句に作られていた「からすみ」。

古くは子供たちの「がんどうち」に配られていました。米の粉と黒砂糖で一本一本手作りした、素朴で深みのある味です。

中津川市
恵那市
（東濃地方）

（記事：80 頁掲載）

静岡県　御前崎

静岡県御前崎特産の「波乗り鰆」

　独自の厳しい認定基準を
クリアした高鮮度・高品質
のサワラを「波乗り鰆」と
してブランド化しました。

御前崎

（記事：224 頁掲載）

愛知県　一色町

職人が手がける養殖だからおいしい 「一色産うなぎ」

　長い歴史の中で培われた
養殖技術により出荷される
「新仔うなぎ」は、身に脂が
乗り、皮は柔らかい上質の
うなぎとなっております。

一色町

（記事：138 頁掲載）

木曽三川の下流域

人寄せ行事には「ボラ雑炊（ボラ飯）」

木曽三川の下流域でボラを使った郷土料理があります。

「ボラ雑炊（ボラ飯）」は地域の行事や祝い事などの際に作られてきました。

木曽三川の下流域

▲ボラ雑炊（ボラ飯）

▲ボラの水煮中　　▲炊飯途中に葱投入

（記事：54頁掲載）

滋賀県

地理的表示（GI）保護制度に登録された「伊吹そば」

滋賀県の最高峰である伊吹山の中腹で栽培されてきた在来種のそば。淡く緑がかった色合いが特徴で、甘皮に由来するそばの香りが強く感じられる逸品です。令和元年9月に地理的表示（GI）保護制度に登録されました。

米原市

（記事：174頁掲載）

京都府

京田辺市・亀岡市・福知山市・舞鶴市・京丹後市

高級食材「えびいも」の家庭版「こえびちゃん」

京の伝統野菜「えびいも」と同じ株から同時に収穫される「こえびちゃん」は、高級食材「えびいも」の特徴を持ったお手軽なおいもです。

（記事：220 頁掲載）

大阪府

大阪湾

「魚庭あこう」は絶品高級魚

一時は幻の魚と言われた「あこう」は、府や研究機関等が連携し、稚魚の生産・放流他の努力で、近年魚獲量が回復基調。

「魚庭あこう」としてのブランド化を進めています。

（記事：130 頁掲載）

兵庫県 瀬戸内海沿岸

魚の王様「マダイ」おいしい秘密とは

名産地といわれる瀬戸内海沿岸では、おいしい餌をたっぷり食べ、速い潮の中で運動するので、味が濃く脂の乗りがほどよいマダイが育ちます。

瀬戸内海沿岸

（記事：166頁掲載）

奈良県

スイカの「種子」の販売シェア日本一

古くからスイカの生産に力を入れていた奈良県。

現在でも全国のスイカの種子の多くが、県内の種苗会社より供給されています。

県内全域

（記事：144頁掲載）

和歌山県 北山村

幻の柑橘「じゃばら」花粉症予防で注目！

　幻の果実「じゃばら」を北山村で栽培し始めたところ、花粉症に効くと言う「ナリルチン」が圧倒的に多く含まれていて、村の特産品になりました。

北山村

（記事：20頁掲載）

鳥取県 県内全域

星のように輝くお米「星空舞」

　鳥取県が育成した、米の新品種「星空舞」。高温でも品質が下がりにくく、いもち病に強いのが特徴です。
　冷めても食感が変わらないので、弁当やおにぎりにもお試しあれ。

県内全域

（記事：190頁掲載）

島根県 県内全域

見栄えは悪いが味は絶品 「コチの洗い」

真夏の旬の魚にコチを挙げる人は、よほどの食通と言えます。

見栄えは悪いが、魚肉を薄く切り、冷水にさらして食べると、これが絶品。冷酒を片手に味わうのもオツです。

県内全域

（記事：148頁掲載）

岡山県

柔らかな味わいのパクチー 「岡パク」

「岡パク」は、2000年から栽培を始めていて、パクチー嫌いでも美味しく食せる柔らかな味わいのパクチーに改良しました。

岡山市北区
牟佐・玉柏地区

（記事：206頁掲載）

広島県

安芸太田町

安芸太田町ご当地グルメ 「漬物焼きそば」

芸北地域（県北西部）に伝わる焼き漬け菜をアレンジした「漬物焼きそば」。

新しいご当地グルメとして誕生しました。

安芸太田町

（記事：96頁掲載）

山口県

周防大島町

島で受け継がれる郷土の味 「かいもち」

周防大島町では、さつまいもと餅でつくる「かいもち」が、日常の食事やおやつとして愛され、食されてきました。

後世に残していきたい島の味です。

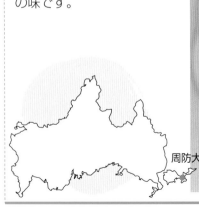

周防大島町

（記事：16頁掲載）

徳島県　県内全域

徳島県民ソウルフード「いももち」

徳島県農作物を代表するトップブランド「なると金時（さつまいも）」を使った郷土料理「いももち」です。

お正月や秋の収穫を感謝して土地の神様をまつる「お亥の子さん」など、ハレの日に作られる料理です。

県内全域

（記事：12頁掲載）

香川県

全国的にも珍しい讃岐ならではの味「あんもち雑煮」

明治時代にまだまだ甘味が貴重であったころ、砂糖作りに精を出した農民たちが、めでたい正月に砂糖を使ったあんもちを雑煮にしたものが始まりといわれています。

県内全域
（中山間地と離島を除く）

（記事：24頁掲載）

愛媛県 松山市

宝石果実「伊台・五明こうげんぶどう」

紫黒の艶やかな輝きと芳醇な香り、そして濃厚な甘み。美をまとうニューピオーネです。

その美味しさは生果に留まらず、さまざまな加工商品としても愛されています。

松山市

（記事：152頁掲載）

高知県 大豊町

半夏だんご（みょうがだんご）
（はんげ）

大豊町の半夏だんごは、米粉ではなく、小麦粉を使った皮で餡子を包み、みょうがの葉でくるんだ菓子です。

みょうがの葉は防腐効果があり、さわやかな香りが食欲をそそります。

大豊町

（記事：106頁掲載）

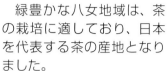**福岡県** 八女市・筑後市

甘くてコクのある豊かなうま味「福岡の八女茶」

　緑豊かな八女地域は、茶の栽培に適しており、日本を代表する茶の産地となりました。

　「福岡の八女茶」は、量より質を大切にする丁寧なお茶づくりが、長年にわたり高い評価を受け続けています。

筑後市　八女市

（記事：88 頁掲載）

**佐賀県**

有明海だけに棲む幻の魚「えつ」

　日本で唯一有明海にしか生息しない「えつ」は、食通の憧れる幻の魚です。

　地元の人でもなかなか口にできない貴重な食材で、その味わいは淡白で上品です。

有明海沿岸

（記事：92 頁掲載）

長崎県　大村市

大村産米 100% 「純忠」誕生

　桜と歴史と技術のまち大村で、令和元年6月に念願の大村産米 100%の純米酒「純忠」が誕生しました。

　すっきりした飲み口で、フルーティーな味わいを楽しむことができます。

　是非、大村のお酒をご賞味ください。

（記事：194 頁掲載）

熊本県　八代地域

世界最大の果実「晩白柚」農林水産省の地理的表示（GI保護制度に登録）

　香りがよく、果肉・果汁は少ないが、さくさくとした歯ざわりで、完熟すると甘みと酸味のバランスに優れ、おいしさが増します。

　2020 年3月に全国農林水産省の地理的表示（GI）保護制度に「八代特産晩白柚」として登録されました。

（記事：34 頁掲載）

調味料選手権 2018 で特別賞 「万能椎茸だし」

乾椎茸の生産量全国トップを誇る大分県で、豊後大野市の (株) 茂理商店は、「調味料選手権 2018」で特別賞を受賞しました。

うまみと風味を丸ごと粉末に閉じ込めた、「椎茸だしの素」を是非お試し下さい。

豊後大野市

(記事：58 頁掲載)

宮崎県

「日向夏」 は、なんと 200 才 !!

発見から 200 年、「日本のひなた 宮崎県」を代表する果物「日向夏」の歴史やおいしさなどの魅力を再発見してみませんか。

県内全域

(記事：30 頁掲載)

鹿児島県

シラス大地が生んだ代表銘菓「かるかん・かるかん饅頭」

鹿児島のシラス台地に多く自生している自然薯（山芋）を使用した、上品な白さが特徴で、しっとり・もっちりとした弾力があり、素朴な味わいのお菓子です。「かごしま茶」と一緒に薩摩の「おもてなし」を味わってください。

県内全域

（記事：134頁掲載）

沖縄県

県内全域

独自の進化遂げた、沖縄の「タコライス」

メキシコのタコスが独自の進化を遂げ、1980年代にメキシコ風そぼろごはん「タコライス」としてお目見え。

現在、県内ではポピュラーな料理となりました。

県内全域

（記事：210頁掲載）

路傍の草花

アケビの花

春の里山を散策していると、ふと爽やかな淡紫色の小花が目に入りました。葉の形からアケビだと思い、家に帰って調べてみたら、やはりアケビの花だとわかりました。房状の小花はかわいらしく、色も白色〜青紫色の幾通りかの変化があって面白かったです。

ノイバラ

水田脇の畦を歩いていると、ノイバラが咲いていました。園芸品種に比べるといたってシンプルですが、素朴な味わいがあって良いものです。数匹のアブが花の周りを飛んでいて、まさに春の一頁という感じでした。

ユキヤナギ

庭の片隅でユキヤナギの花が咲き誇っていました。地味で和風のイメージですが、花の盛期には純白の小花が咲き乱れて、大変美しいものです。きれいなので仏壇にお供えすると、すぐに花がバラバラと散ってしまい、仏花には向かないと思いました。

ミツマタ

小学校の社会科の授業で、和紙の原料が「こうぞ」「みつまた」であることを、何となく習った記憶があります。繊維が長くて強く、ねばりけがあるので和紙の原料に向いているそうです。茶色い早春の山野に黄色い花を輝かせています。

ギンラン

近似種のキンランに姿形はよく似ていますが、その名の通り花の色が白色（銀色ではありません）なのがギンランです。明るい林床を好むため、管理がきちんとされている里山などで見かけます。

スイセン

花壇や庭で、春真っ先に芽を出して花をつけるのがスイセンです。まだ大気も冬の寒さが残っている時節、けなげに芽を出してくる様を見ていると、その力強さに勇気を与えられます。花の芳香が、また何とも言えず優雅で上品です。

ヌスビトハギ

「盗人萩」とは、随分とかわいそうな名前を付けられた植物です。その名に反して、とても爽やかで魅力的なピンク色の花を咲かせます。林縁などでみかけることが多く、秋にはその種子が衣服にくっつく「ひっつき虫」として知られています。

サルビア・グラニチカ

子どもの頃、真夏の庭でサルビアの花をそっと引っ張り、蜜の味を楽しんでいた記憶があります。この青色のサルビア・ガラニチカは南米原産で、名前はパラグアイのグアラニ族に由来します。とっても鮮やかな花色です。

夏

タマアジサイ

一般的に、平地のアジサイは梅雨頃に咲く花として知られていますが、山あいで生育する自然のタマアジサイは、夏の7〜9月ごろに、沢沿いの道路法面や林縁などでよく目にします。

ツリフネソウ

里山散策をしていて偶然見つけました。横浜市内の里山に、まさか野生のツリフネソウが自生しているとは思っていなかったので、その出会いには大変驚きました。小さな沢沿いに人知れず佇んでいました。花の姿がユニークで素敵です。

シロバナマンジュシャゲ

ヒガンバナとショウキズイセンの雑種と言われています。一昨年、我が家の庭の片隅で咲いているのを偶然見つけました。近所でも見たことがないのですが、ちょうど我が家では新盆だったので、そういう関係かなと納得しました。

コウヤボウキ

名前の由来は、かつて高野山では弘法大師から竹な

どの植栽を禁じられていたので、この植物で作った箒が用いられていたと伝えられています。陽当たりの良い林下で、9〜10月に花を咲かせます。果実は白い毛が密生して、タンポポの綿毛のような姿になります。

オトコエシ

花の少ない秋の林で、オトコエシを見かけました。オミナエシ科の多年草ということで、草形が確かにオミナエシにそっくりです。オトコエシという和名は、オミナエシに比べ、より強豪であることを男性にたとえたものです。

タイワンホトトギス

秋の爽やかな空気が支配し、コオロギの鳴き声が聞こえる時期に、庭の端で決まって開花するのがタイワンホトトギスです。かなり剛健で、雑草と一緒に間違えて刈ってしまっても、必ず復活してくれます。

ヤブツバキ

学生の頃、車の免許を取りに伊豆大島を訪れました。宿泊所の周りすべてがヤブツバキで埋め尽くされていて、季節も花の開花期と重なっていたため、あちこちで赤い花を咲かせていました。華美な椿も良いですが、やはりヤブツバキが一番です。

ツワブキ

深緑の葉とは対照的な黄色の花が、冬枯れの庭に生命力を吹き込んでくれます。まるでペンキのように鮮やかな黄色は、人を惹きつけるものがあります。和風の庭園には是非入れておきたい草花です。

◉付　　録◉

暮らしの記録簿

科 目 分 類 一 覧 表

科 目		分類番号	内 容 例 示
収入	農 業 収 入	01	米、麦、雑穀、豆類、いも類、野菜、果実、その他の作物（葉たばこ、茶、い、こんにゃく、てんさい等工芸農作物、花き、花木、苗木類、球根、種子）繭、鶏卵、豚、牛乳、牛馬等の畜産物の販売収入、家計消費など。農作業受託収入。
	給料パート賃金	02	給料及び手当（ボーナス）、パート賃金
	財 産 的 収 入	03	固定資産の売却、預金等の引き出し、借入金、資産分割による増加（遺産相続、分家による被贈）。
	そ の 他 収 入	04	林業、水産業、商工業、その他農業以外の自営業からの収入、地代、利子、出稼ぎ者からの送金、もらいもの、年金扶助及び補助金等並びに家事収入（新聞、骨董品等の売却、賃貸間代など）。
支出	農 業 支 出	11	雇用労賃、種苗・苗木及び蚕種、もと畜、種付料、肥料、飼料、農業薬剤、諸材料及び加工原料、光熱・電力費、農具部品・修繕、農用自動車維持、農用建物維持修繕、賃貸料及び料金、土地改良費及び水利費、支払小作料、その他の農業支出。農業関連の借入金利子。
	農 外 支 出	12	林業、水産業、商工業、その他農業以外の自営業のための支出。農業関連以外の借入金利子。
	財 産 的 支 出	13	土地、建物、自動車、大農具、大動物（肥育牛を除く）・植物等の固定資産の購入、預貯金等預け入れ、借入金返済、資産分割による減少（遺産相続、分家のための贈与）偶発損失（盗難貸倒れなど）。
租税公課諸負担		20	国税、地方税、農業共済負担、国民年金、健康保険、その他の社会保険料、産業団体負担、その他の諸負担。
家計費	飲 食 費	31	穀類、いも、豆、野菜、海藻、果物類、魚介類、肉類、卵乳類、調味料、油脂類、菓子類、調理食品、飲料、酒類、外食、飲食関連サービスなどの支出。
	住 居 費	32	借地借家料、自宅維持修繕。
	光 熱 水 道 料	33	家庭用の電気、ガス、灯油などの購入支出、上・下水道料。

科　　　　目		分類番号	内　容　例　示
家計費	家具家事用品	34	家庭用耐久材（炊事用品、冷蔵庫、調理台、井戸ポンプ、掃除機、洗濯機、ミシン、扇風機、冷暖房用機具、たんす、応接セット、鏡台等）室内装備品、寝具類、家具類、家事雑貨、家事用消耗品、家事サービス代。
	被服履物費	35	和服、洋服、シャツ・セーター、下着、生地、糸類、履物、被服関連サービス（仕立、クリーニング等）
	保険医療費	36	医療品、保険医療用品、器具、診察料、入院費用。
	交通通信費	37	交通費、自動車等維持、通信代。
	教育費	38	授業料、教科書、参考書、補修教育。
	教養娯楽費	39	音響製品、写真機具、楽器、机・いす、子供用乗り物、文房具、運動用具、玩具、書籍、新聞、雑誌、旅行、受信料、観劇、現像・焼付、子供会・老人会の費用。
	雑費	40	小遣、諸会合、理美容、身の回り用品、たばこ代など、紛失金、罰金、さい銭、布施、募金など。
	贈答・送金	41	
	臨時費	42	冠婚葬祭、出産費など。

現金収支簿のつけかた

★　現金収支簿をつけるにあたって、まず、前年度からの繰越金を正確に勘定し、摘要欄には繰越金と書き、残高欄には繰越金額を記入します。

★　よそから品物を貰った場合、その品物を現金と考え、その現金で品物を買ったというように記入します。

★　組合員勘定等口座を利用して売買した場合は次のように記入します。
　　○農協を通じて野菜を売り、代金は農協口座に振り込まれた。
　　　代金を農業収入欄に記入→同額を「農協預金預入れ」として支出欄に記入。
　　○農協から肥料を購入し代金は口座から支払った。
　　　代金を農業支出欄に記入→同額を「農協預金引出し」として収入欄に記入。

★　肥料を買って代金を後で支払う場合には農業支出欄等に記入するとともに、収入欄に同額を記入し、そして代金を支払ったときに財産的支出として記入します。
　　逆に野菜等を売って後で貰う場合には、農業収入欄等に記入するとともに、支出欄に同額を記入し、後で貰ったときに財産の収入として記入します。

現 金 収 支 簿

月 日	摘 要	分類番号	現 金 収 支		
			収 入	支 出	残 高

月	日	摘　　　　要	分類番号	現　金　収　支		
				収　入	支　出	残　高

月	日	摘　　　　要	分類番号	現　金　収　支		
				収　　入	支　　出	残　　高

月	日	摘　　　要	分類番号	現　金　収　支		
				収　入	支　出	残　高

月 日	摘　　　　要	分 類番 号	現　金　収　支 収　入	支　出	残　高

月 日	摘　　　要	分類番号	現　金　収　支		
			収　入	支　出	残　高

月	日	摘　　　　要	分類番号	現　金　収　支		
				収　　入	支　　出	残　　高

月 日	摘　　　要	分類番号	現　金　収　支		
			収　　入	支　　出	残　　高

月 日	摘　　要	分類番号	現　金　収　支		
			収　入	支　出	残　高

月	日	摘　　　要	分類番号	現　金　収　支		
				収　入	支　出	残　高

月 日	摘　　　　要	分 類番 号	現　金　収　支		
			収　　入	支　　出	残　　高

月 日	摘　　　　　要	分類番号	現　金　収　支		
			収　入	支　出	残　高

月	日	摘　　　　要	分 類番 号	現　金　収　支		
				収　　入	支　　出	残　　高

月日	摘　　　要	分類番号	現　金　収　支		
			収　入	支　出	残　高

月 日	摘　　　要	分類番号	現　金　収　支		
			収　入	支　出	残　高

月	日	摘　　　　要	分類番号	現　金　収　支		
				収　　入	支　　出	残　　高

月 日	摘　　　　要	分類番号	現　金　収　支		
			収　　入	支　　出	残　　高

月	日	摘　　　　要	分類番号	現　金　収　支		
				収　　入	支　　出	残　　高

月 日	摘　　　要	分 類番 号	現　金　収　支		
			収　入	支　出	残　高

月 日	摘　　　　要	分類番号	現　金　収　支		
			収　　入	支　　出	残　　高

月	日	摘　　　　　要	分 類番 号	現　金　収　支		
				収　　入	支　　出	残　　高

月 日	摘　　　　要	分類番号	現　金　収　支		
			収　　入	支　　出	残　　高

月	日	摘　　　　要	分類番号	現　金　収　支		
				収　　入	支　　出	残　　高

月 日	摘　　　要	分 類番 号	現　金　収　支		
			収　入	支　出	残　高

月	日	摘　　　　要	分類番号	現　金　収　支					
				収　　入		支　　出		残　　高	

月	日	摘　　　　要	分類番号	現　金　収　支		
				収　　入	支　　出	残　　高

月 日	摘　　　要	分類番号	現　金　収　支		
			収　　入	支　　出	残　　高

月 日	摘　　　要	分 類 番 号	現　金　収　支		
			収　　入	支　　出	残　　高

月 日	摘　　　要	分類番号	現　金　収　支		
			収　入	支　出	残　高

月 日	摘　　　　要	分 類番 号	現　金　収　支		
			収　　入	支　　出	残　　高

月 日	摘　　　要	分類番号	現　金　収　支		
			収　入	支　出	残　高

月 日	摘　　　　要	分類番号	現　金　収　支		
			収　入	支　出	残　高

月	日	摘　　　　要	分類番号	現　金　収　支		
				収　　入	支　　出	残　　高

月 日	摘 要	分類番号	現　金　収　支		
			収　入	支　出	残　高

月	日	摘 要	分類番号	現 金 収 支		
				収 入	支 出	残 高

月 日		摘　　　　要	分類番号	現　金　収　支		
				収　　入	支　　出	残　　高

月 日	摘 要	分 類番 号	現 金 収 支		
			収 入	支 出	残 高

月 日		摘　　　要	分 類番 号	現　金　収　支					
				収　入		支　出		残　高	

月	日	摘　　　　要	分 類番 号	現　金　収　支		
				収　入	支　出	残　高

月	日	摘　　　　要	分類番号	現　金　収　支		
				収　　入	支　　出	残　　高

月 日	摘　　　　要	分　類 番　号	現　金　収　支		
			収　　入	支　　出	残　　高

月 日	摘　　　　要	分 類番 号	現　金　収　支		
			収　入	支　出	残　高

日 別 ・ 月 別 整 理 表　〔項目：　　　　　　　　単位：　〕

	1 月	2 月	3 月	4 月	5 月	6 月
1						
2						
3						
4						
5						
6						
7						
8						
9						
10						
11						
12						
13						
14						
15						
16						
17						
18						
19						
20						
21						
22						
23						
24						
25						
26						
27						
28						
29						
30						
31						
合　計						

毎日記録したいもの、例えば牛乳や鶏卵の生産量（額）、家計費、小遣等の支出整理に利用してください。

7 月	8 月	9 月	10 月	11 月	12 月	チェック計

日 別 ・ 月 別 整 理 表　〔項目：　　　　　　　　　　単位：　　〕

	1 月	2 月	3 月	4 月	5 月	6 月
1						
2						
3						
4						
5						
6						
7						
8						
9						
10						
11						
12						
13						
14						
15						
16						
17						
18						
19						
20						
21						
22						
23						
24						
25						
26						
27						
28						
29						
30						
31						
合　計						

毎日記録したいもの、例えば牛乳や鶏卵の生産量（額）、家計費、小遣等の支出整理に利用してください。

7 月	8 月	9 月	10 月	11 月	12 月	チェック計

日 別・月 別 整 理 表　　〔項目：　　　　　　　　単位：　　〕

	1 月	2 月	3 月	4 月	5 月	6 月
1						
2						
3						
4						
5						
6						
7						
8						
9						
10						
11						
12						
13						
14						
15						
16						
17						
18						
19						
20						
21						
22						
23						
24						
25						
26						
27						
28						
29						
30						
31						
合　計						

毎日記録したいもの、例えば牛乳や鶏卵の生産量（額）、家計費、小遣等の支出整理に利用してください。

7　月	8　月	9　月	10　月	11　月	12　月	チェック計

日 別 ・ 月 別 整 理 表　〔項目：　　　　　　　　単位：　〕

	1 月	2 月	3 月	4 月	5 月	6 月
1						
2						
3						
4						
5						
6						
7						
8						
9						
10						
11						
12						
13						
14						
15						
16						
17						
18						
19						
20						
21						
22						
23						
24						
25						
26						
27						
28						
29						
30						
31						
合　計						

毎日記録したいもの、例えば牛乳や鶏卵の生産量（額）、家計費、小遣等の支出整理に利用してください。

7 月	8 月	9 月	10 月	11 月	12 月	チェック計

科目 月	収 入				
	農 業 収 入	給料・パート	財産的支出 (預貯金等引出し)	その他収入	収 入 計
1					
2					
3					
4					
5					
6					
7					
8					
9					
10					
11					
12					
計					

科目 月	家 計 費					
	飲 食 費	住 居 費	光熱・水道料	家具用品費	被服・履物費	保険・医療費
1						
2						
3						
4						
5						
6						
7						
8						
9						
10						
11						
12						
計						

・ 家 計 費 集 計 表

		支		出	
農 業 支 出	農 外 支 出	財産的支出 （預貯金等預入れ）	租税公課負担	家 計 費	**支 出 計**

	家	計		費	
交通・通信費	教 育 費	教養・娯楽費	諸 雑 費	贈答・送金	臨 時 費

贈答品控え　　　もらい物（現金を含む）控え

月日	贈り主	理　由	品　名	見積価額 円	月日	贈り主	理　由	品　名	見積価額 円

贈り物（現金を含む）控え

月日	贈り先	理　由	品　名	見積価額 円	月日	贈り先	理　由	品　名	見積価額 円

住　所　録

氏　　　名	☎	住　　　　　所	☎

住　所　録

氏　　名	✉	住　　　　　　所	☎

住　所　録

氏　　名	☎	住　　　　　所	☎

住　所　録

氏　　名	〒	住　　　　所	☎